鄧散木

「名家讲稿」

# 邓散木

## 书法篆刻学

邓散木◎著　　周慧珺◎主　编

徐才友　彭福云◎编

上海人民美術出版社

**图书在版编目（CIP）数据**

邓散木书法篆刻学 / 徐才友，彭福云编.—上海：上海
人民美术出版社，2015.1（2019.3重印）
　　（名家讲稿）
　　ISBN 978-7-5322-9339-1

Ⅰ．①邓...Ⅱ.①徐... ②彭... Ⅲ．①汉字—书法理论
②篆刻理论 Ⅳ.①J292.1②J292.4

中国版本图书馆CIP数据核字（2014）第290248号

名家讲稿
**邓散木书法篆刻学**

| | |
|---|---|
| 著　者 | 邓散木 |
| 编　者 | 徐才友　彭福云 |
| 策　划 | 潘志明　张旻蕾 |
| 责任编辑 | 潘志明　张旻蕾 |
| 技术编辑 | 季　卫 |
| 出版发行 | **上海人民美術出版社** |
| | （上海长乐路672弄33号） |
| 印　刷 | 上海海红印刷有限公司 |
| 制　版 | 上海永顺彩色印务有限公司 |
| 开　本 | 889×1194　1/16　12印张 |
| 版　次 | 2015年1月第1版 |
| 印　次 | 2019年3月第3次 |
| 书　号 | ISBN 978-7-5322-9339-1 |
| 定　价 | 86.00元 |

# ■目 录

書法篇

# 「怎样临帖」

## 一、总　纲

有人问："练字就是练字，为什么一定要临帖？"我说，我们读书，为的是从书本里吸取作者经过实践积累的经验来充实自己，来帮助自己解决问题。临帖的意义，正和读书一样，也为的是从碑帖里吸取前人写字的经验，学习他们的用笔方法、结构规律，来帮助自己打好写字基础，提高书写技巧。因此，临帖久已被历代书家一致公认为练习写字的必经过程和有效方法。虽然我们今天练习写字，只是为了把字写得端正、流丽，并不要求每个练字的人最终都能成为书法家。但是如不掌握用笔方法、结构规律，是很难达到这个最低的要求的。就今天来说，临帖对练字还是有其现实意义的。不过临帖有临帖的方法，如果随便照着帖乱写一通，这是"抄"帖而不是临帖，尽管成年累月地写，也不会有什么长进，徒然浪费时间而已。临帖的方法有如下几点：在临帖之前，先须懂得怎样执笔和怎样运笔。如笔执得对了，运笔方法不对，或者运笔方法对了，执笔方法不对，也同样会徒劳无功的。等到执笔和运笔方法练习得差不多了，然后方可开始临帖。

临帖分"摹"、"临"两个过程，"临"又有"格临"、"对临"、"背临"三个步骤，先后有序，不可凌乱。在"摹"、"临"的时候，又须随时注意抓住帖里的特征，特征掌握不住，下笔时就会茫无头绪。又无论在"摹"或"临"的过程中，不会永远一帆风顺，而是必然会不止一次地遭遇障碍和波折，如何克服障碍，渡过波折，事先也应做好思想准备。

此外，像如何选帖，如何安排练习时间，如何培养写字兴趣，如何博采众长等等，也都有讲究。老话说："不以规矩，不能成方圆。"规就是圆规，是画圆形的工具；矩就是曲尺，是画方形的工具。学习木工，首先必须学会使用圆规曲尺。这里所述

邓散木临《龙藏寺碑》

的临帖方法，等于学习木工的使用"规"、"矩"一样道理，希望读者不要认为这是清规戒律或老生常谈而忽略过去。下面就来谈谈这些方法。

### ■ 百问百答

**1. 什么是书法？**

答：书法是指汉字的书写艺术，包括用笔、结构、间架、行款等方面。

**2. 为什么要学习书法？**

答：学习书法，最低目的是写得笔画端正，间架安稳，流利，漂亮，在学习、工作和社会生活中，能够提高服务性能；更进一步，则是通过书法来反映思想，表达感情，成为一种艺术品，使人得到艺术的享受。

**3．学习书法有哪些基本法则？**

答：学习书法必须掌握执笔、运笔、用笔、结构这四方面的基本法则。

**4．学习书法从何入手？**

答：先摹后临。

## 二、执　笔

正确的执笔法：正视图

正确的执笔法：右视图

龙眼正视图

执笔的方法，说来很简单，只是"指实掌虚"而已。这样执笔，从外面看去，从食指到小指是层累相次而下，和拇指相会，很像未绽的花苞；而从里面看去，手掌和手指联成一个像蒙古包似的拱形物。总之，从外面看是实（指实）的，从里面看是虚（掌虚）的。这就是正确的执笔法。

有些人执笔，食指勾得老高，拇指在中间，中指在下面，三指分布为上、中、下三截，这样无名指及小指自然而然地掐在掌心。掌心掐实了，笔尖运转就不灵活。也有些人执笔，五指是攒聚在一起，可是拇指指节不突起，这样无名指和小指也很容易掐在掌心里，指实而掌不虚，也是要不得的。

从前管上面所说食指高勾的执笔法叫"凤眼"，形容虎口（拇指和食指交叉的地方）狭长，像凤凰的眼睛。另有一种执笔法，叫做"龙眼"。据说练习"龙眼"时，把一满杯水放在虎口上再写字，要杯子里的水一点不泼出来，方算功夫到家。其实这只是故弄玄虚，不足为训，希望有志练习书法的朋友不要上这个当。

此外也有人认为笔管要重，才容易增加笔力。我年轻时就曾误信为真，定制了一支灌上铅的铜笔

管，约有斤把重，拿这支笔练字，练了好久，只感到手酸腕重，写的字依然如故，不见什么进步。方知所谓笔力，乃是从手、腕间发出的灵活自然的力量，只要多练多写，笔力自然会逐渐增长，根本与笔管轻重无关。

写字除必须讲究执笔而外，坐的姿势，也很重要。前人说写字时笔管要对准鼻子，笔管怎样才能对准鼻子呢？首先右肘骨必须尽量向外撑出，其次，下臂必须与胸部成平行，笔管就自然直立在鼻子前面了。这样，手腕必须平覆，笔管必须稍稍向里倾侧，方能写字。如果手腕竖起，笔管势必向外

写字的正确姿势

卧倒，就无法运转了。要肘向外撑，腕与纸平，肩部一定得用力，肩部一用力，整个右臂的肌肉都绷得紧紧的，这时右半身的力量，由背到肩，由肩到肘，由肘到腕，再通过手指，直达笔尖，笔尖运转时就会格外有力。不过这样写字，左臂肘骨，也应尽力外撑，左手的食指中指应用力紧压纸面，使全身力量向左右平均发展，不致右强左弱。

再则这样写字，胸部不可能贴近桌边，脊背和颈项不可能向前弯曲，可以纠正许多不良姿势，对身体健康也有好处。

最后我要声明，上面所说的那些，都是初学写字练习基本功时必须遵守的正规法则，等到熟练之后，无论怎样执笔，都能运用自如，甚至像拿铅笔、钢笔那样斜着使，也可以写出端端正正的毛笔字来。因为笔只是一种写字工具，初学写字所以必须讲究执笔，就是为了练习掌握这一工具的性能和使用方法，写久了，手里有了一定功夫，工具的性能摸得熟透了，到这时候，无论你怎样去使用，它都乖乖地听受指挥，自然无所不可。古人说："执笔无定法"，就是这个道理。

## ■ 百问百答

### 5. 为什么要讲究执笔？

答：执笔不得法，字就写不好。

### 6. 怎样才是正确的执笔法？

答：正确的执笔法，简单地说，就是"指实掌虚"四个字。

### 7. 怎样执笔才能指实掌虚？

答：食指（第二指）中指（第三指）并拢，在笔管前面用指尖勾住；拇指在笔管左面用指尖向右抵；无名指（第四指）的指甲中部紧靠中指在笔管里面往外抵，小指紧贴在无名指一起。这样，五个指头攒在笔管四围，拇指的指骨突出，掌心就空了，空得差不多可以放进一个鸡蛋，这就是"指实掌虚"。这里特别要注意的是，拇指和食指、中指必须攒在一起，无名指、小指必须要紧靠中指，拇指的指节必须突出。

### 8. 古人执笔有"龙眼"、"凤眼"之说，是怎样执法？

答：所谓"龙眼"、"凤眼"，只是一些故弄玄虚的说法，实际上是最要不得的。"龙眼"执法，是食指、中指只用指尖作弧形攀住笔管前面，无名指的第一节节骨在笔管里面推顶，拇指右边指肉祆在笔管左面，使虎口围成圆形，用这种执法，手腕扭着，既吃力又不实用。至于"凤眼"执法，更要不得，食指勾得老高，拇指在中间，中指在下面，三指分布为上、中、下三截，这样无名指及小指自然而然地捏在掌心，虎口狭长，像凤凰的眼睛，掌心捏实了，笔尖运转就不灵活，这样执笔的人必须注意纠正。此外，有些书上还有"撮管"、"提管"等说法，也是不实用的。

### 9. 笔要执得紧好，还是执得松好？

答：执笔不要太松，也不要太紧。太松了笔管容易掉落，太紧了笔管会颤抖，手也容易累。拿骑自行车来作比，初学骑车的，为了怕摔跤，往往把车把攥得紧紧的，结果车身反而更容易倾倒。执笔跟攥车把一个道理，要不松不紧，恰到好处。相传东晋时代的大书法家王羲之看到小儿子献之在练字，从背后出其不意地拔他的笔，竟没有拔动。由于这个故事，后人便误以为笔要执得紧。其实如照前面所说的方法执笔，不用很大的指力去攥住笔管，而笔管自然稳如泰山，要想拔去，确实是不大容易的。

### 10. 笔要执得高好，还是执得低好？

答：执笔的高低，要根据字的大小而定。从前人有的主张执得高，甚至有执在笔管顶端的，叫做"高捉管"。反之有主张执得低的，叫做"低捉管"。根据我个人体验，总的原则是，字越小，笔执得越低；字越大，笔执得越高。一般说来，写小楷笔要执得低些，拇指距离笔尖约四至五厘米；写三四厘米的中楷（也称寸楷），执得稍高些，拇指距离笔尖约六至七厘米；写三四厘米以外的大楷，执得更高些，拇指距离笔尖约七至八厘米。不过这不是硬性规定，除字的大小有别外，还有笔管的长短、写字的姿势（坐或立的区别）等因素，也影响到执笔的高低，因此，究竟执得多高，要写字者自己去体验掌握一个合适的尺度。

**停云楼即席诗轴　行书**

# 三、运　笔

运笔首先要注意的是，写字必须以手腕运笔，而不可用手指运笔。笔管被五指攒住不动，全靠手腕里发出力量使手活动，笔管就随着手的活动方向来回运转，使笔尖在纸上写出点画来。这样运笔，手腕就必须离开桌面，使之悬空，不然手就无法活动。好些人写字时将手臂连腕紧贴桌面，这样手不灵活，就只好用手指去拨动笔管，而且笔尖的活动范围也非常之小，写小楷或二厘米左右的字，还可勉强对付，写中楷、大楷以至再大的字，就无法运转了。因此，要讲究运笔，首先需要练习悬腕。

不曾练习过悬腕写字的人，由于手臂上的肌肉不习惯于这种动作，下臂一离开桌面，失去依凭，笔在手里发颤，手也忽高忽低，写出字来，不是东倒西歪，就是或粗或细，非常难看，这就必须下些功夫练习，不要知难而退。练习的方法有二：一种是空闲的时候，倒拿笔管，或去拿一根筷子，按照正确的执笔法执住，悬起手腕，在桌两上绕圈儿，经过相当时期练习，手腕可渐稳定。一种是写字时将左手平覆在桌面上，右手腕搁在左手背上写，这样写过一段时期，抽去左手，右手也渐稳定。这两种方法可以同时并用，要不了一百天，一定能收到效果。

前人为了手腕高悬练习不易，提出一种折中的办法，叫做"提腕"，也叫"虚腕"，肘骨靠在桌上，手腕靠近桌面而不贴紧，可以自由活动，换句话，就是最低的悬腕，当然要比高悬手腕轻易得多。我们如只为了通过练习使字写得端正、流丽，那么不妨采用"提腕"的方法。如果为了进一步向书法艺术进军，希望在艺术上有所成就，那么还是下些苦功，练习高悬腕，等到基础打定，便可运用自如。

至如写匾对、标语、招牌等特大的字，非仅悬腕所能胜任，那就非连肘也悬空不可。悬肘可在练习悬腕时同时练习，这里姑不具论。

怎样运笔谈得差不多了，应该接着谈谈笔法。笔法亦称用笔，是指笔尖在纸上写出点画的活动过程。不要以为点画很容易，只要随便在纸面上点上一点、写上一画就成，事实不这么简单，随便写成的点画，看上去也好像很有笔力，但是浮而不实的，并不含有真实的力量。古人有"力透纸背"之说，试问随便写成的点画，如何能透过纸背呢？笔法的要诀，只有"无垂不缩，无往不收"八个字。意思是说无论点、横、撇、捺等任何笔画，都得有去有来，不可只去不回。总的来说，就是任何一笔都要"逆笔回锋"。

悬腕示意图　　　　　　枕腕示意图　　　　　　悬肘示意图

何谓"逆笔"？即起笔时笔锋逆入。比如横画自左向右，写时先逆笔向左，到起笔顶点，往下轻轻一按，再向右画去；直画自上向下，写时先逆笔向上，到起笔顶点，向右下方轻轻一按，再向下画去。何谓"回锋"？即收笔时笔锋回进，比如横画到收笔处，稍向右上，再向右下轻轻一按，向中间回进；直画到收笔处，向左上轻轻一提，再向中间回进。其他点、挑、撇、捺等任何笔画，都是这样写法。

为什么一定要这样写呢？这与写汉字的主要工具——毛笔有关。毛笔的性能软而有弹性，笔尖的近尖部分叫做"锋"，弹性特别强，写字时笔尖在纸上按即倒，一提即直，这就是"锋"所起的作用。写横画起笔用逆笔使笔锋倒向右边像乚，再转过来往右使之像丿。这时笔毛就平铺在纸上，而笔锋就在横画中间，不偏上也不偏下，末了往回一收，笔锋依然挺直，这在书法术语叫做"中锋"，也叫"正锋"、"藏锋"。古人论用笔秘诀，用"令笔心（笔锋）常在点画中行"，就是指的中锋。写字能做到笔笔中锋，自然踏实而不虚浮，用墨也能均匀到家。反之，如果顺着笔势，随便点画，或者像拖把擦地板那样横扫（这叫偏锋，笔锋偏在一边），笔画只是浮在纸面，不会沉着，而且笔锋有去无回，长些的笔画，写到中段，笔头所蓄的墨已用得差不多，写到收笔，必然会因墨少而成枯笔，或需重新蘸墨方能写完，所以是要不得的。

## ■ 百问百答

**11. 什么是运笔？**

答：运笔，是指笔的运转。

**12. 怎样运笔？**

答：运笔必须用腕运。五指攒住笔管，使笔管直立不动，全用腕力使手活动，笔管随着手的活动方向来回运转，这就是"腕运"。

**13. 为什么不可以用指运笔？**

答：用指力去拨动笔管，笔管就不能保持直立不动，笔管的活动范围也非常小，写小字还可勉强对付，写中楷、大楷以及再大的字，就无法运转了。而且，用指力运笔，笔不踏实，写出的字也是虚浮无力的。

**14. 以腕运笔，腕的姿势应该怎样？**

答：以腕运笔，手腕必须离开桌面，使之悬空。悬空的腕部又须平覆，同桌面平行。

**15. 为什么腕要平覆？**

答：手腕平覆，就可以使笔管保持垂直。

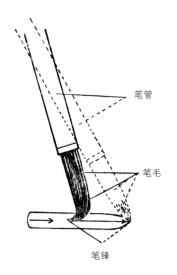

**笔管倾侧示意图**

### 16. 笔管是否应永远保持垂直？

答：笔管不能永远保持垂直，必要时是可以倾侧的。例如写较长的直画，笔势由上而下，笔管就要随着向前倾侧，直画越长，笔管向前的倾斜度也越大；横画笔势自左而右，则笔管改为向左倾侧；其他撇、捺等笔画，也都依此类推。但须注意的是，笔管可以向前或向左倾侧，而不可向后或向右倾侧，向后或向右，就不是以腕运笔了。

### 17. 腕要悬得多高？

答：悬腕的高度同执笔高低一样要视所写字的大小而定。一般说来，写中楷手腕离桌面约四厘米。字写得大，腕悬得高些，离开桌面远些，字写得小，腕悬得低，离开桌面近些，也没有硬性规定。

### 18. 为什么要悬腕？

答：悬腕写字，就可使手转动灵活；如不悬腕，紧贴桌面写字，手就无法活动，笔管也必然运转不灵。

### 19. 初学悬腕，手会颤抖，怎么办？

答：必须勤学苦练，持之以恒。方法有二：一种是空闲时候，倒拿笔管，或者拿一根筷子，按照正确的执笔法执住，悬起手腕，在桌面上绕圈儿，经过一段时间的练习，手腕自会逐渐稳定。另一种是写字时将左手平覆在桌面上，右手腕搁在左手背上写，这种做法叫"枕腕"，时间长了，抽去左手，右手也能稳定。这两种方法，可以同时并用，练习一段时间，就能收到效果。

### 20. 写小楷是否也要悬腕？

答：写小楷也要悬腕。开始练习小楷，悬腕是比较困难的，可采用上法"枕腕"。也可以"提腕"，又叫"虚腕"，即将肘骨靠在桌上，手腕靠近桌面而不贴紧，能够自由活动，也就是最低的悬腕。

### 21. 写标语横额等大字应怎样？

答：写标语、横额之类的大字，不光要悬腕，还须连肘也悬空，这就是"悬肘"。悬肘可以在练习悬腕的同时练习，等打好了基础，那就可以运转自如，小大由之了。

### 22. 写字时身体姿势应怎样？

答：字要写得横平竖直，写字时或站或坐，身体也必须端正。头要正，稍向前俯。眼与纸的距离约在一尺，双眼之间如果画一条线的话，这条线要和桌子成平行线。写三寸以内的字可坐着写，写三寸以外的字站着写。

## 四、各家的特征与写法

前代书家各有各的面貌、风格，这些面貌、风格都由各家书法上的特征所形成。在临帖的时候，必须随时留意找到这本帖里的特征。掌握了它的特征，就能事半功倍，就能很快地走上正轨；掌握不住它的特征，就只是暗中摸索，越临离帖越远。下面我想为初学临帖的读者们介绍一些各家书法的特征和其写法。不过历代书家数以千计，分成好多种不同书派，每一书派都各有其特征，若要一一说明，决不是这书里所能容纳，这里只能择要地列举若干例子，介绍一些发掘和掌握特征的窍门，作为临帖的帮助。

楷书莫盛于唐，唐代的楷书，是从六朝（南北朝）经隋代一直发展过来的，所以谈书法特征，应先从六朝开始。

六朝书法，大致可分"造像"、"碑志"两大类。"造像"用笔多方，"碑志"用笔多圆，这是它们的两个总特征。

### 造　像

流传下来的六朝造像多至不可胜数，其中最著名的为《龙门二十品》，其中以《始平公造像》为最方正规矩，笔法也最显露，堪为方笔书派的代表。下面就从《始平公造像》里摘出几个字来说明方笔的特征和写法。方笔，起笔收笔都方如刀切，起笔都不用逆笔，收笔一笔直下不回锋，有的与圆笔一样回锋，不过笔带方势而已。例如：

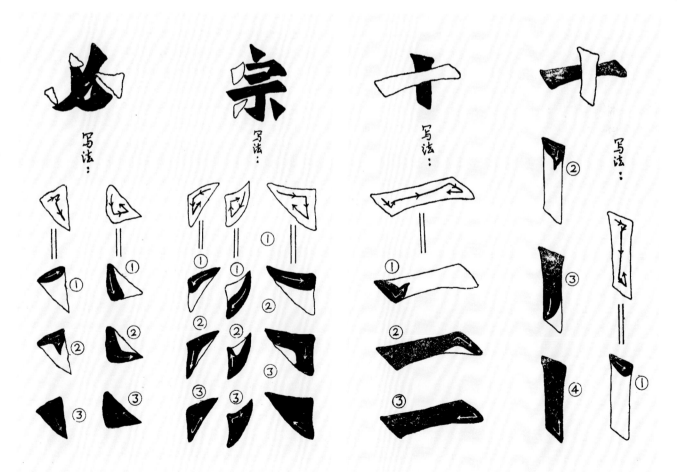

点的特点　　　　　　　　　　　　　　　　横的特点

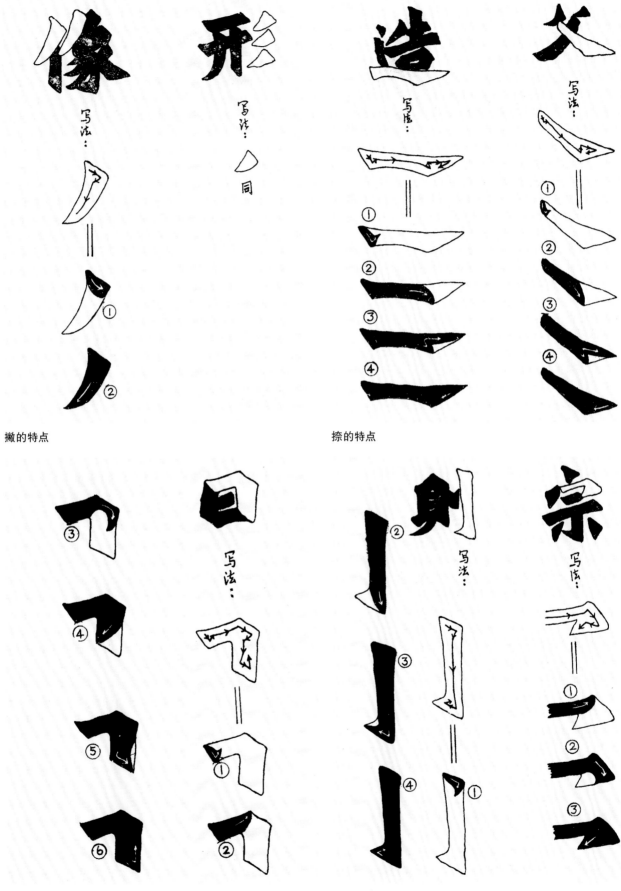

撇的特点

捺的特点

折的特点

勾的特点

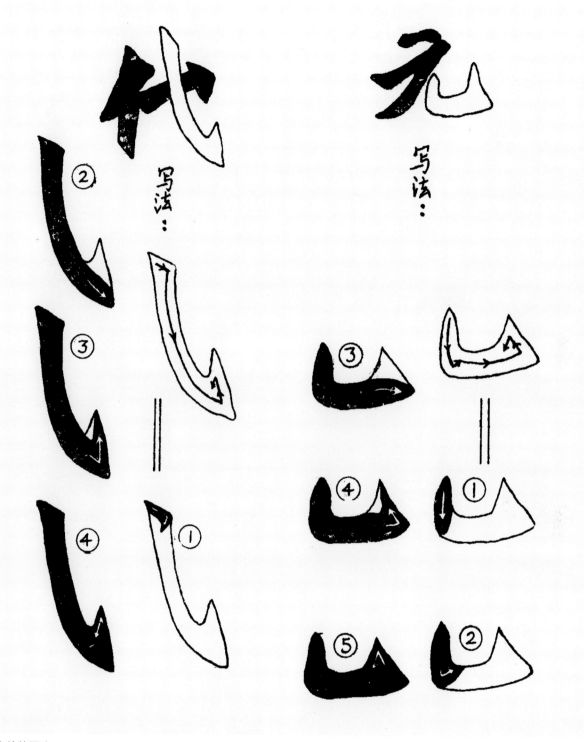

其他方笔的写法

## 碑 志

　　六朝碑志，数量上虽不及造像，但也有几百种。碑志书法，有的纯用圆笔，有的方圆间用，比起造像的专用方笔，一味拙朴，更为丰富。如北魏《兖州刺史郑羲碑》，就是纯用圆笔的。因是刻在石壁上（书法术语称摩崖），所以字形特别宽展，字体特别圆健，在北碑群里一直被推崇为第一流作品。下面从《郑羲碑》摘引几字，说明圆笔的特征和其写法。例如：

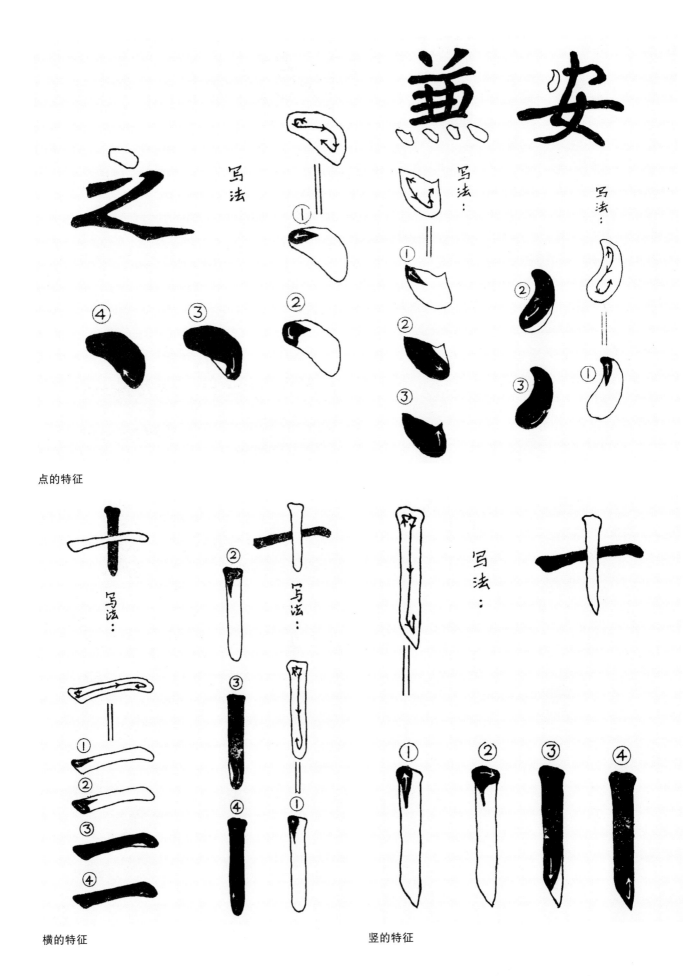

写法：

写法：

写法：

点的特征

写法：

写法：

写法：

横的特征

竖的特征

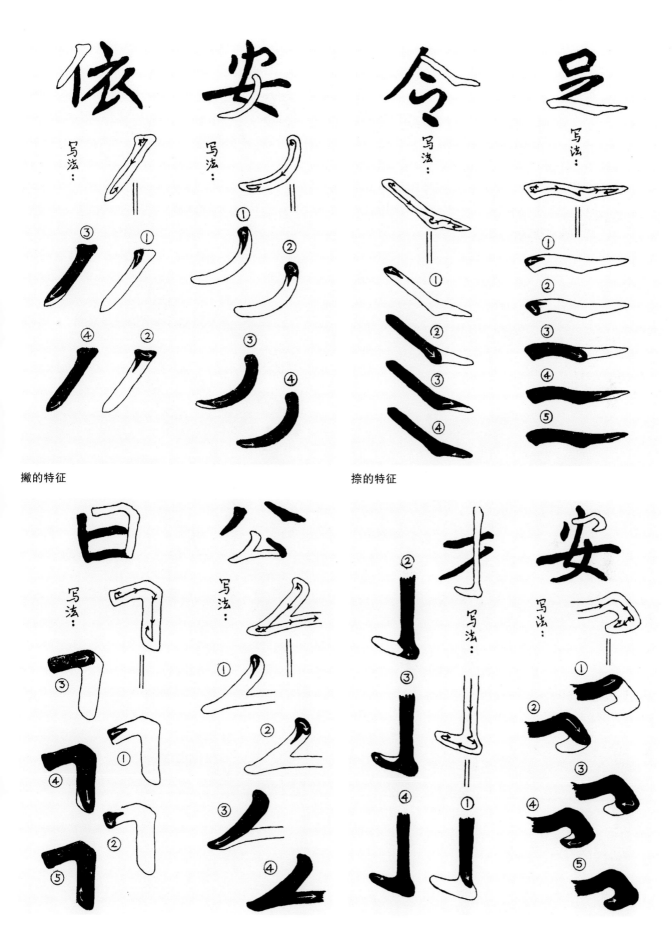

撇的特征

捺的特征

折的特征

勾的特征

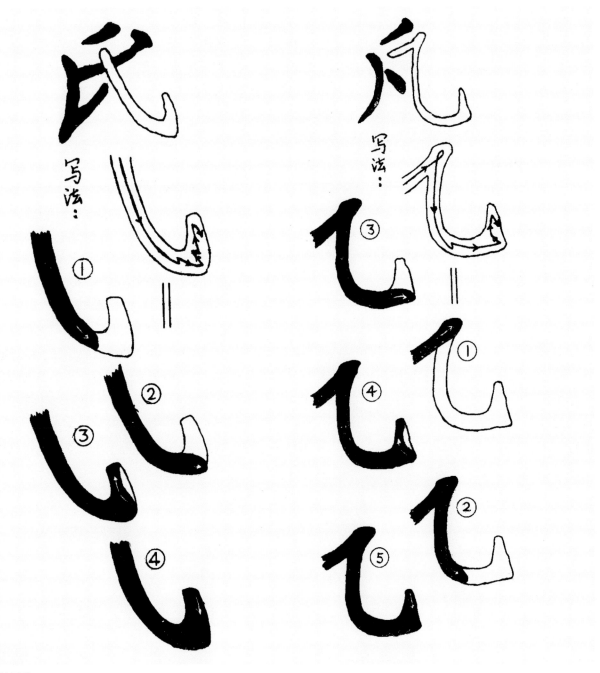

**其他圆笔的写法**

此外另有方笔圆笔间用的碑志，如《张黑女墓志》、《张猛龙碑》、《崔敬邕墓志》、《司马景和妻墓志》等等好多种，各有不同面貌，只要参考前面所列方笔圆笔写法，就可举一反三，故不另作说明。

前面介绍了六朝造像碑志的书法特征，学者依此方法去临摹碑帖，大致可不会茫无头绪。但历代书家流派纷多，各家有各家独具的特征，不是单纯的方笔圆笔所能概括。因此，接下来谈谈适合一般临帖需要的唐代各家书法所独有的特征和写法。

现在最普遍流行的唐代楷书碑帖，不外虞世南、欧阳询、褚遂良、颜真卿、柳公权五家。这里便就此五家书法，作些比较具体的分析介绍，以供参考。

## 虞 字

虞字总的特征为"收敛"、"含蓄"，一点不露锋芒，没有丝毫火气，所以很不容易学。它的点画的特征有二，表现在乛和乀。乛的特征为肩部略带圆势，稍向右下方倾斜而无棱角，如乛，横画比较平，到转折处，笔锋稍稍提起，再向右下角轻轻一按，即向下写直画。

简单些说，虞字的乛是由如乛的笔势组成的，其笔锋的行动方向，放大了看，就是乛。虞字的另一个特征是捺笔特长，有些跟《郑羲碑》仿佛，不过其末梢所占长度各有不同而已。

假定两者的捺笔长度同为100，那么《郑羲碑》捺笔的前半部分占五分之三，末梢部分占五分之二；而虞字捺笔的前半部分占五分之四，末梢部分占五分之一。至如其他点、横、竖、撇等各种笔画，都与《郑羲碑》无甚出入，只需参阅前面所介绍的方法就可以，这里不再列举。

## 欧 字

欧字总的特征，在唐代各家楷书里最为显著。结体严正险劲，而有时往往奇峰突起，出人意料。拿《九成宫》来说，有些本来方正的字，由于某一笔写长而使这个字变成长方，如"侍"字等。也有些本来长形的字，被他写得更长了的，如"暑"字等。也有字形本短而被他写得特别扁的，如"而"字等。又如本来笔画多，应该写得大些的，他却写得特别大；本来笔画少，应该写得小些的，他却写得特别小。诸如此类，不一而足。这都是欧字独具的风格，是一种艺术夸张手法，通过匠心经营，适当安排，使碑字整体端庄而有活泼气象，并不因长短大小不一而显得凌乱散漫。

总的说来，欧字给予我们的一般概念是结体长方，由于结体长，所以就显得瘦。但欧字的瘦，不像病夫那样憔悴，而是像有武功的人那样，外表干枯，内基充实，这一点我们必须注意。还有一点必须注意的是，欧字表面方正，其实笔法都用圆笔，不是方笔，因此临写欧字，只要掌握前面介绍的圆笔写法，就可游刃有余。

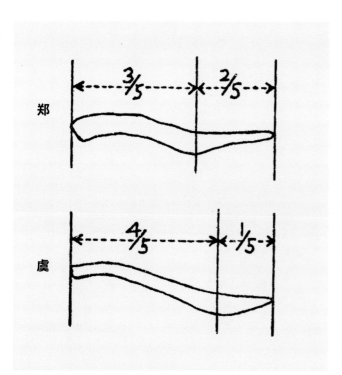

虞字与《郑羲碑》捺笔的长度对比

《九成宫》中字形的笔画安排

至于欧字在点画方面的特征尤多，而且富有变化。一般特征，如横画都作上仰的扁担形⌒，横勾作⌒，横折也作⼅，笔势都是两头上仰，中间稍凹。唯折的写法与一般圆笔不同，应作⼅而不作⼌。又如横画在底下的字，这一横每每写得特别长，使整个字形成为上窄下宽，摆得特别安稳，推摇不动。例如"五"等字，这是欧字横画的特征。

欧字竖画的特征是，在左边的作⼁，在右边的作⼁，方框字和门部字两竖并见的作相背弧形如川。其写法，中间的竖画作⼁，起笔特重，中段轻些，收笔回锋又重些，右边的竖画也这样。左边竖画起笔比中间和右边竖画稍轻些，其余都一样。不过在左边的短竖，像"以"字的第一笔和"石"字下面口的左竖等等，则跟一般左竖不同，是作⼁形的，其写法应如⼁。

欧字的斜撇⼃和平撇⼃都作⼂，很像《始平公造像》的撇，所不同者，写法仍是圆笔。又如"内"字中间的撇和"欲"字"欠"旁上面的撇，则都作⼃，写法跟左短竖相同。

欧字的捺笔，不论斜捺⟍平捺⟋，其末梢都作等腰三角▷，与《始平公造像》一样，写法也相同。

不论横勾⌒、竖勾⼅、戈勾⟍、弧勾⟋，凡是勾，都作极小的等边三角形△。写法与《始平公造像》同。

竖弯勾亦为欧字笔画特征之一。一般的竖弯，其勾都向上作⤵，欧字独作⤵，其勾作斜三角形◿。

在欧字里，以点的变化为最多，除一般的点无甚特征外，凡宝盖头的顶点都作◊，其写法为⼂。点在左边的作◊，三点水旁的第一点和"么"、"幺"、"戈"、"弋"的角点，绝大部分作短撇◿，三点水中间的点绝大部分作◊。又凡连点、散点、多点的字，其点都特别小而排列得疏疏朗朗，姿态各别。

欧字横画的特征

连点

散点

多点

欧字还有一个特征，是结体的变化，在《九成宫》里就有不少例子。现在随便摘出几个字来谈谈。例如："極"字，右边的"又"，一般都作点，这里的"極"，却作捺，而且捺得很长，几乎与下面的横画相平。同时又把木旁抬到横画上面，省去了"木"右的一点，使整个字形显得特别宽扩平稳。这是采用了隶书的结体，《西岳华山庙碑》里的"極"字就是明证。

"慶"、"憂"两个字，中间的"心"，都只有两点，而把下面"夂"的第一撇延长，伸到"乚"里代替了第三点。"夂"的"フ"又改作"丿"，使这个"夂"字像"人"字，中间加了一个短撇。本来这两字下半部没有一笔平正，这一来就更不平正，但看去却反安稳，可见欧阳询写这些字的时候，是经过一番考虑的。

《九成宫》的"深"、"琛"等几个字，写得都很别致。其右半的"罙"，上面的"宀"，离得很开，左边的点特别向左斜出；下面的"八"，左撇作直点正对左点之下，而把"乚"挪向中间安在"木"的中直上面。"罙"字这样写，离开了传统结构，是一种大胆变革。"罙"头被拆得支离破碎，而看去反而摇曳生姿，这也是欧氏独擅的本领，是同时代其他书家不曾有过的。

**褚 字**

褚遂良在初唐时期是虞、欧之后晚起的书法家，他曾请益于虞、欧两位，得到他们的指导启发，对他影响很大，所以诸字兼有方圆之长。他所书碑版流传于世的，如《倪宽赞》、《雁塔圣教序》等几种，属于圆的一路；《伊阙佛龛碑》、《孟法师碑》等几种，属于方的一路。现在以《雁塔圣教序》来谈谈褚字的特征和写法。

《雁塔圣教序》的特征，跟虞的《孔子庙堂碑》有些相像，书势都是向右边发展的。所不同者，虞字看去飘逸而笔笔扎实；褚字看上去沉着，而笔笔轻灵。最显著的表现是，褚字轻重分明：轻的地方如蜻蜓点水，重的地方如力士拔山，所以有时极

《九成宫》中"極"字的结体变化

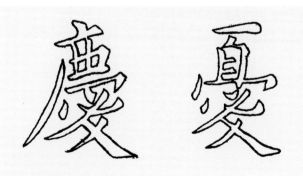

慶、憂的笔画图例

深、琛的笔画图例

细，有时极粗。但尽管这样，轻的不嫌纤弱，重的不嫌黏滞，拙秀匀净，毫无轻重不协调的感觉，褚的本领在此，褚字的可贵也在此。

在点画方面有一个最大也最明显的特征是，不论何种点画，绝大多数都是卓笔直入，不用逆锋起笔，所以写时比较爽利。此外如横画竖画，都有些像练习举重用的石担，力在两头，横作━，竖作┃。写法是起笔时笔尖往下一按，随即提起，乘势向右或向下拉去，到收笔时又往下一按，笔锋向里一提，就完成了。撇、捺的特征是撇特长，有些像《九成宫》里的长撇，不过比较纤细而已，如"度"字的撇，就是这样。褚字的捺笔作╲、╲、╲，起笔特别轻而细，收笔特别重而粗，差不多全部力量都贯注在末梢的三角里，这种捺法，是褚字独具的风格，也非其他书家所有。褚字的折笔，有时作┐，与虞字有些相像，而写法不同，是像┐这样写的。有时作┐，右肩特别突出，这是横里稍划过头些，笔向右一按，向里一提，再往下拉，是像┐这样写的。褚字的勾，尤与诸家不同。一般的勾，都向左方挑

出作亅形，有斜向左上方的，如虞字的勾，其斜度也不过四十五度左右，褚字的勾，比虞更斜向上，其斜度约三十度。原因是褚字的勾法，不像平常写法照亅或亅的姿势写。而是到竖画末梢时，笔乘直势往下一按，随即提起，向上挑出，像亅的样子写的。往上提的时候，有时提得斜些，有时提得直些，提得斜的，写成亅，提得直的，写成亅，所以一个竖勾，在褚字里就有有勾无勾两种形式。无勾不是真的没有勾，是勾在竖画中间，有些"意到笔不到"的意思。褚字的乚和乚，有时作╲、乚。也是这个道理。褚字还有一个特征是竖画并见的字，与欧字一样作相背弧形八，但把它夸大了，而且下部开拓，使成八状，兼之左短右长（此亦欧法），遂使字形变为八，如"门"、"同"、"有"。因此凡是这一类字，几乎没有一个是平正的。

这些是从《雁塔圣教序》里可以看到的褚字特征。至如《伊阙佛龛碑》等方势书法，又当别论，暂不列举。

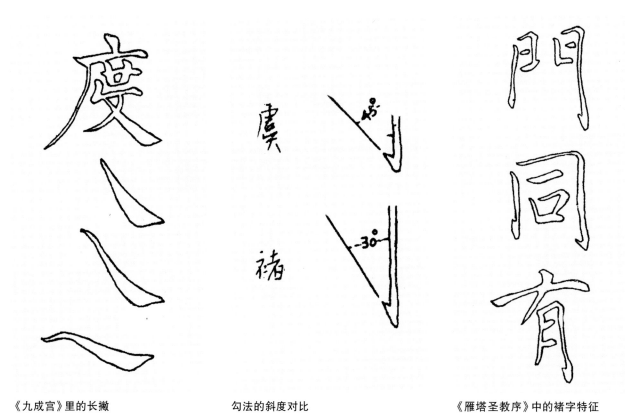

《九成宫》里的长撇　　　　　勾法的斜度对比　　　　《雁塔圣教序》中的褚字特征

### 颜　字

唐代书派，欧阳询、颜真卿两家可以说是书法领域里的两大主流。这两家书法的面貌、风格，各有不同。如欧内敛而颜外拓，欧险劲而颜稳重，此其一。欧字看似比颜字生动，其实下笔迟重谨涩；颜字看似比欧字肥重，其实下笔灵活爽利，此其二。欧字字与字间排列得疏朗，字形长短大小不一；颜字字与字间排列得紧凑，字形差不多一样方正，此其三。据此三点，足以说明欧颜两家书派的分歧。但正如武术家有南北派，学拳的人，不学南便学北一样，并不因此分歧而降低了哪一家的艺术价值和主流作用。

总的来说，颜字的特征不多。原因是颜字从褚字里出来，虽然自成一家，某些笔画的形式和写法，还有若干褚字成分在内，如《多宝塔碑》里的横画都作⌐，也跟褚字一样力在两头，不过颜的收笔，比褚更重，写法作⌐。⌐作⌐，也仍是褚法，不过右眉没有像褚那样突出而已。至颜字独有的显著特征，则仅表现在竖、捺、勾三个方面。

颜字的左边竖画作丨，右边竖画作丨，左右竖并见的作丨丨，刚好与欧字作八相反。中竖特别饱满。不论藏锋丨、露锋丨，都很容易看出其用力处在中段，所以能浑厚而富肉采。

《多宝塔碑》里的捺笔，特征有四：一、不论斜捺、手捺，笔势都向下沉。如⟍、⌐，末梢微向上挑，写法如⟍、⌐，其笔尖的运动方向为⟍⌐。二、捺的末梢挑笔，都作等腰三角形⟍、⌐，因收笔不用回锋，所以都很尖锐。这一点只有《多宝塔碑》才达样，颜书其他碑版的挑笔，多有作⟍、⌐，则用圆笔，不用方笔，与此微有不同。三、斜捺起笔部卓笔直下，不用逆笔，所以作⟍形；平捺则都用逆笔，所以作⌐形。四、与其他笔画接合的捺笔，都穿过被接合的笔画，所以这捺笔显得特别长。

颜字的竖勾"亅"，跟欧字一样。也只有《多宝塔碑》是这样，其他碑版有作亅的，与此不同。弧勾"⌣"，跟虞字一样。唯竖弯勾"乚"，则有些与众不同。例如虞的"乚"作⌣，欧的"乚"作⌣。褚的"乚"作⌣，而颜的"乚"则作⌣，末了的勾，不向上挑，不向外挑，而是微向里挑。特别是弯折处，颜字总是竖细横粗，故其写法应该是⌣。就是竖画到弯折处，笔往上提起，再往下一按，用力向右拉出。其竖画所以上面稍粗，逐渐转细，到弯折处更细，正是为了蓄养笔势做横拉的准备。颜的"戈"法作⟍，末了的勾也向里挑，与"乚"一样，也是颜的特征。

《多宝塔碑》里的捺笔

### 柳 书

柳公权的字，字形比颜字稍长，笔画也稍细。总的特征是筋骨外露，笔画富有弹性，无论横、竖、撇、捺，笔势都向四面伸展，所以觉得局势开扩，如果说颜字是武术里的内家拳，那么柳字就是外家拳，颜柳两家的不同点，就在于此。但柳字是从颜字里化出来的，虽然姿态不同，而笔法绝大部分与颜字一样，不过有些笔画从颜的基础上加以夸大而已。严格说起来，柳字应隶属于颜字系统，因此附在这里，不作单独介绍。

### 附 行书

前人说："楷书如立，行书如行，草书如走。"这样说法虽不一定正确，但正说明行书就是流动的楷书。拿唐代诸家来说，他们的行书，仍表现着原来楷书的面貌，例如欧阳询的行书《千字文》，一望而知是欧字，颜真卿的行书《祭侄文稿》，一望而知是颜字，这就是最现成的例子。

行书有没有它的特征呢？有。楷书是一笔一笔地写的，有许多笔画写时需逆笔回锋。行书则不然，有时两笔连写，有时三笔连写，如《梦奠帖》里的"有彭祖"三字），"有"中间的两短横作"彡"，彭字的"直"下两小点作"ᨆ"，右边的"彡"作"ᨏ"，"祖"的"礻"旁本是四笔，写作"礻"省成三笔。也有字与字连接的，如《祭侄文稿》里的"方期亦在"四字，"方"字的撇，接"期"字的首画，"亦"字的末点，接"在"字的首画。也有笔断意连的，如《祭侄文稿》里的"称兵犯顺"四字，字与字虽然分列，并不连接，但上一字的末笔笔势，是与下一字的起笔相衔接的。

《千字文》 欧阳询 行书

《梦奠帖》"有彭祖"三字

《祭侄文稿》"称兵犯顺"四字

《圣教序》"高岭"二字

这些都是行书总的特征，所以不必要也不可能像楷书那样每一笔都逆笔回锋。学者能懂得这原理，那么临欧的尽管临欧，临颜的尽管临颜，使用时只要写得流动些。就是行书，可不必另起炉灶，专门去练，这是我的看法。

有人认为楷书在六朝以前只有小字，没有大字。不便临摹，所以只好向唐人学习。行书则有的是《兰亭序》、《怀仁集圣教序》、《半截碑》（亦称《吴文碑》、《兴福寺碑》）等碑帖，尽可"取法乎上"，不必仍拘束在唐人的圈子里。这说法我不反对，不过如学《兰亭》，须从墨迹本《神龙兰亭》入手，因这本《兰亭》一则是墨迹影印的，笔画清楚，可以看到古人的运笔方法；二则它相传是唐代书家冯承素就王羲之真迹双勾填墨的，虽不是王羲之亲笔，但总传达了真正的王字面貌。至于《兰亭》的许多种石刻，都是虞、欧、褚等各家临本和复刻本，多少掺杂着临写者自己的面目，

已不是纯粹的王字，所以与其学石刻本，还不如学他们的行书来得直截了当。至于《圣教序》、《半截碑》则都是集字凑成的，有些字王羲之没有写过，就由两个偏旁字拼凑起来，虽然还未全失王字面貌，但有些字的间架已跟王字不同。其最大的缺点是，由于集字的关系，字与字间缺乏有机联系，看去只是一个个字排列着，行气并不贯穿，所以临习的时候，必须注意此一字与彼一字的关系，不要失去联络。例如《圣教序》里的"高岭"二字，"高"字的末笔笔势斜向左边，与下一字"山"头中直脱节，使这两个字笔断意连方好（其他字依此类推）。不过这样临写，就非初学所能胜任，因此我说这两本帖，还是等楷书练好以后再去临写。

行书不像楷书那样可以把每个字拆开来一笔一笔地分析，所以练习行书，只要掌握前面所说的总的特征即可，这里就不再专门介绍、详加说明了。

## 隶 书

就汉字书体演变历史来说，隶书是从篆书里蜕化出来的。篆书的笔道匀圆匀称，隶书的笔道变为方正平直，其结构与楷书相仿佛，可以说是楷书形式的胚胎，所以只要是认识楷书的人，一般隶书都能认识，不像篆书那样非对文字学有相当修养的人才认识。

隶书，前人分为"隶"和"八分"两种，没有挑脚的是"隶"，有挑脚的是"八分"。其实"隶"跟"八分"，只是部分笔画写法上的差异，不是两种书体，并无划分的必要。此外还有"秦隶"、"汉隶"或"古隶"、"今隶"之分，不过是根据时代先后而假定的不同名称。所以这里只统称为隶书。

隶书不同于楷书的是，楷书的笔画分向上下左右四面发展，而隶书的笔画，则像"八"字那样只向左右两边发展（"八分"之名，由此而来）。隶书跟楷书的最大区别，表现在下列那些点画：

### 点

▽顶点，用于"亠"、"宀"等，写法与欧字"宀"的顶点同。

♪顶点，用于"亠"、"宀"等，写法与欧字"戈"的角点同。

⌐顶点，用于"主"、"言"等，写法同横画。

◡左点，用于"火"、"寸"等，写法如◟。

▽右点，用于"灬"、"糸"等，写法如◞。

◁左点，用于"羊"、"类"等；右点，用于"共"、"糸"等，写法如◠。

### 横

隶书的一般横画跟楷书一样。不过楷书横画的收笔作三角形如◥，隶书收笔到末了不折向右下作三角形，而是将笔一提，使成◠形即可。其在字上部和底部的横画则作〜，写法与楷书的平捺相像。

### 竖

隶书里左边的竖，绝大多数不作直画，而跟竖撇一样作✓，写法如✓，到末梢时，将笔往下一按，往上一提就完事了。提的时候是带按带提的，有时提得轻些，就写成✓，有时提得重些，就写成✓。汉碑里往往是有挑无挑同时并见的，就是这个道理。

### 撇

隶书的撇，全跟楷书写法不同。平撇有顺写的，写法是✓。有逆写的，写法是⌐。直撇与左边竖画一样。斜撇一般都作✓，唯"人"字的撇作✓，起笔重，收笔轻，与楷书的撇有些相像。最特异的为"亻"、"彳"的斜撇。"亻"旁的撇作✓，用逆笔，写法如✓。"彳"旁则作✓，有逆笔，有顿笔，并不一定。

隶书的一般横画

隶书的竖画

隶书撇画的顺写

隶书撇画的逆写

### 捺

隶书的斜捺"㇏"，与欧、褚两派的捺有些相像。有顺起的，如㇏，写法为㇏；有逆起的，如㇏，写法为㇏。捺笔的挑脚也有㇏和㇏两种不同形式。前者的写法是先按后提再挑，后者的写法是先提后按再挑。至提和按是笔锋在运动中的上下轻重的动态，不是图例所能说得明白，只有由读者自己在实践中去体会，特此附带声明。

隶书的平捺"㇏"，很像褚字的横画，也是中间轻细，两头用力的，所不同者，褚的横画作一形，而隶捺则作㇏形而已。它的起笔，都是逆笔，笔锋自右向左，向左下方用力一按，随即提起向右到末梢挑出，挑脚跟斜捺一样也有方圆两种形式。方的为㇏，写法如㇏；圆的为㇏，写法如㇏。

### 勾

隶书的勾法，不像楷书那样向左或左上方挑出，而是只用提法或作捺笔处理。比如"亅"，有作㇏的，写法为㇏（只专用于"为"字的"亅"）。"亅"，有作㇉的，写法为㇉（用于"周"、"门"等字）。这些都是先按后提，由于提的时候，轻重不等，所以有时挑出得多些，有时挑出得少些，有时甚至没有挑出来。至于"亅"，隶书作㇕（用于"刂"）；"乀"，隶书作㇏；"乚"，隶书作㇏，那是全用的撇、捺法。唯"乚"，有作㇏的，有作㇏的，前者的写法为㇏，后者的写法为㇏；一般作㇏或㇏，那是竖画直的短了些，所以看不出转折处的接合痕迹。

### 折

楷书的"┐"，或作㇆，或作㇆。隶书则作㇆或㇆，写时用翻笔，即横画到转折处笔稍提起，用力一按，再像绕圈儿一样将笔锋绞过来转向下面直下去，其笔势如㇆。又楷书的㇄作两笔，隶书只作一笔写成㇄，其写法为㇄。例如"口"字，先"㇄"，后"┐"，作两笔写。从"口"的字和"日"、"目"等字的方框，也这样写。

此外，隶书里有些偏旁部首和整个字的结构或笔顺，与楷书完全两样，下面附列两张对照表，以供参考。

隶书的直撇　　　　　　隶书的斜撇

隶书的斜捺

隶书的平捺

# 甲　偏旁部首

| 楷 | 隶 | 附注 | 楷 | 隶 | 附注 |
|---|---|---|---|---|---|
| 刂 | 刂 | 先写中竖。 | 冖 | 冂 | |
| 卝 | 屮 | | 牜 | 牜 | |
| 彳 | 彳 | 先长竖次㇏，次丿，末丶。 | 氵 | 氵 | 笔势从左向右。 |
| 辶 | 辶 | 彡笔势向左。 | | | |
| 夂 | 夊 | 三笔势向右。 | | | |
| 糹 | 糸 | | 釒 | 金 | |
| 又 | 攵 | | 殳 | 殳 | |
| 灬 | 灬 | | | | |

隶书作从此不分，此头的字都写作艹或丷。

# 乙　结体

| 楷 | 隶 | 附注 | 楷 | 隶 | 附注 |
|---|---|---|---|---|---|
| 口 | 口 | 笔顺先㇆后一，两笔写。 | 之 | 之 | 笔顺先㇇次丶后。 |
| 分 | 分 | 先八后刀。 | 以 | 以 | 先丿次㇏末。 |
| 不 | 不 | 先一次丨次丿次㇏末。 | 心 | 心 | 先丶次㇃末。 |
| 为 | 为 | 四点作灬。 | 叔 | 村 | 先丨次丿次㇏次丶末。 |
| 所 | 所 | 夕后先三次丨。 | 州 | 州 | 先丶次丿次丶次丨末丶。 |
| 爻 | 爻 | 先一次㇏次丿次丨末丶。 | | | |

## ■ 百问百答

### 23. 什么是用笔?

答:用笔就是指笔尖在纸上写出点画的活动过程。

### 24. 怎样用笔?

答:用笔的要诀,只有"无垂不缩,无往不收"八个字,意思是说无论点、画、撇、捺等任何笔画,都得有去有来,不可只去不回,也就是起笔要用"折锋(逆锋)",收笔要用"回锋"。

### 25. 什么叫"锋"?

答:笔尖捻开捺扁后,在阳光下照看,近尖处有一段透明的部分,这就是"锋"。笔的弹性由"锋"决定,锋越长弹性就越强。写字时笔尖在纸上一按即倒,一提即直,这就是"锋"所起的作用。

### 26. 什么叫"折锋"?

答:"折锋"也叫"逆锋",即起笔时笔锋逆入。比如横画自左向右,写时先逆笔向左,到起笔顶点,往下轻轻一按,再向右画去;直画自上向下,写时先逆笔向上,到起笔顶点,向右下方轻轻一按,再向下画去。

### 27. 什么叫"回锋"?

答:"回锋"即笔画末了往回收进。比如横画到收笔处,稍向右上,再向右下轻轻一按,向中间回进;直画到收笔处,向左上轻轻一提,再向中间回进,其他点、挑、撇、捺等任何笔画,也都是这样写法。

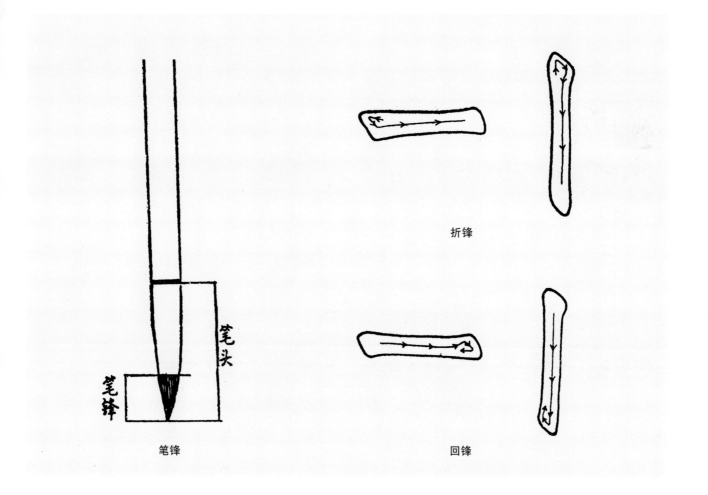

笔锋

折锋

回锋

## 28. 点怎样写？

答：以下每种基本笔画的写法，都举初学书法最常用的欧（欧阳询）、颜
（颜真卿）、柳（柳公权）三家的写法为例，用图表示意。点的写法如下：

| | 欧　体 | 颜　体 | | | | 柳　体 | | |
|---|---|---|---|---|---|---|---|---|
| 写法 | | | | | | | | |
| 写时次序 | | | | | | | | |

## 29. 横怎样写？

答：横的写法如下：

| | 欧　体 | 颜　体 | 柳　体 |
|---|---|---|---|
| 写法 | | | |
| 写时次序 | | | |
| 附注 | 一同 | 一同 | 一同 |

### 30. 竖怎样写？

答：竖的写法如下：

| 欧　体 | 颜　体 | 柳　体 |
|---|---|---|
| 写法 | | |
| 写时次序 | | |
| 附注 | | |

## 31. 勾怎样写？

答：勾的写法如下：

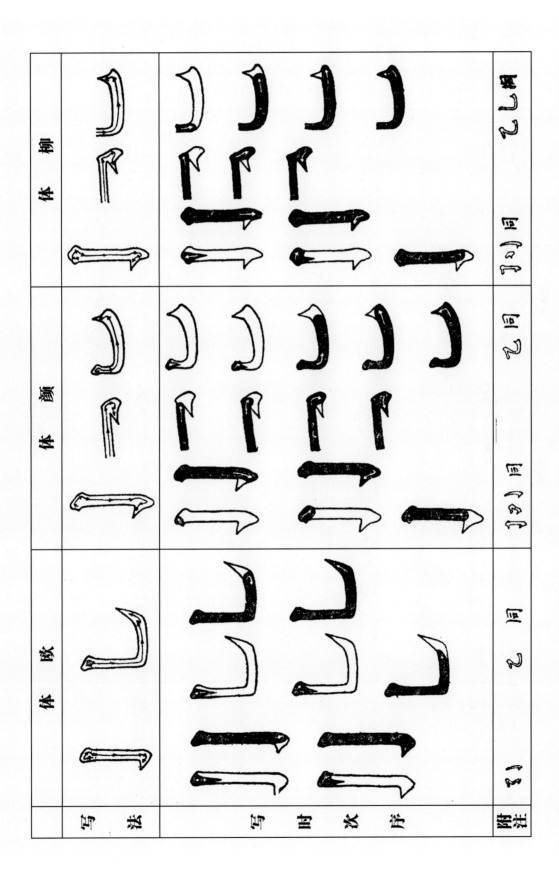

## 32．挑怎样写？

答：挑的写法如下：

| | 欧　体 | 颜　体 | 柳　体 |
|---|---|---|---|
| 写法 | | | |
| 写时次序 | | | |
| 附注 | 丶⺀同　⺀〇同 | ⺀同　〇〇同 | ⺀同　〇同 |

33. 撇怎样写?

答: 撇的写法如下:

| | 欧 体 | 颜 体 | 柳 体 |
|---|---|---|---|
| 写法 | | | |
| 写时次序 | | | |
| 附注 | 𠃌㇉丿一⺄同 | 丿一丿丨同 | 丿一 丷同 |

## 34. 捺怎样写?

答：捺的写法如下：

| | 欧　体 | 颜　体 | 柳　体 |
|---|---|---|---|
| 写法 | | | |
| 写时次序 | | | |

## 35. 折怎样写?

答：折的写法如下：

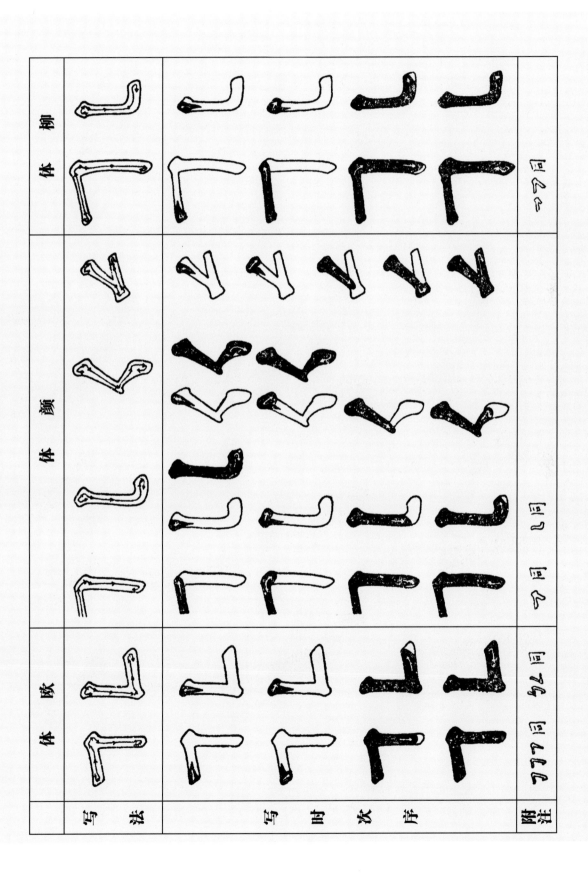

## 36. 戈怎样写?

答：戈的写法如下：

| | 欧 体 | 颜 体 | 柳 体 |
|---|---|---|---|
| 写法 | | | |
| 写时次序 | | | |
| 附注 | | | |

### 37. 是否每笔都要这样写？

答：每笔都要这样写。

### 38. 为什么一定要这样写呢？

答：这样写就能做到笔笔中锋。以横画为例：写横画起笔用逆笔，使笔锋倒向右边像↖，再转过来往左，使之像↗，这时笔毛就平铺在纸上，而笔锋就在横画中间，不偏上也不偏下，末了往回一收，笔锋依然挺直，这在书法术语就叫做"中锋"，也叫"正锋"、"藏锋"。古人论用笔秘诀，说"令笔心（笔锋）常在点画中行"，就是指的中锋。写字能做到笔笔中锋，自然踏实而不虚浮，用墨也能均匀到家。

### 39. 这样写字不是既慢又吃力吗？

答：这样写字，比不用中锋当然要慢，因为多了起笔收笔的转折功夫。但是中段仍是快的，所以并不太慢。写成习惯后，一提笔自然就逆笔、回锋，就不会感觉吃力了。

### 40. 如果不这样写有什么毛病呢？

答：如果不是笔笔都用"逆笔"、"回锋"，而是顺着笔势，随便点画，或者像拖把擦地板那样横扫（这叫"偏锋"，笔锋偏在一边），那么笔画只是浮在纸面，不会沉着，而且笔锋有去无回，长些的笔画，写到中段，笔头所蓄的墨已经用得差不多了，写到收笔，必然会因墨少而成枯笔，或需重新蘸墨方能写完，所以是要不得的。

### 41. 行、草、隶书是不是也要这样写？

答：隶书必须这样写，其转折过程同楷书是一样的，只是更夸张些。行书、草书则不必完全这样写。

### 42. 行书、草书怎样写？

答：楷书是一笔一笔写的，所以每笔都可以逆笔回锋。行书草书则不然，行书有时两笔连写，有时三笔连写，草书连写的更多，因此不必要也不可能像楷书那样每笔都逆笔回锋。一般说来，凡相连的起笔、落笔（包括连接上、下字的），可不必逆笔回锋；单起的还是要逆笔回锋。但由于行书草书比楷书要灵活流动，所以我们在法帖里往往看不出逆笔回锋的痕迹，这就是所谓"意到笔不到"。

偏锋示意图

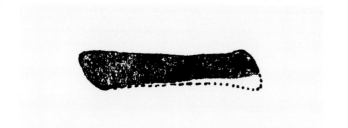

枯笔示意图

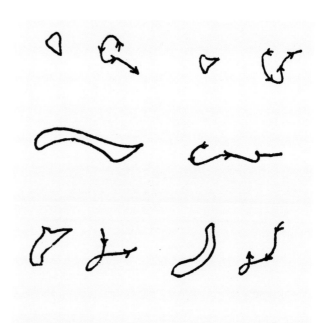

隶书转折的写法

## 五、结构 间架 行款

### 43. 什么叫结构？

答：结构是指点画的组织。

### 44. 什么叫间架？

答：间架是指字形的安排。

### 45. 写字为什么要讲究结构、间架？

答：结构好，点画就有气势；间架好，字形就安稳。

### 46. 结构有哪些要求？

答：结构的要求，简单说来就是十个字，即：平正，匀称，连贯，挪让，变化。

### 47. 何谓平正？

答：平正就是我们常说的"横平竖直"，这是点画结构的一个基本原则。但要注意，"横平竖直"的"平"，不是一般的平，而是带斜势的平。因为人的两眼，视觉并不平衡，横画真正画得平了，由于眼睛的错觉，看去就像向右倒了下去所以横画必须稍带斜势，但又不可斜得过分。大致横画斜度应为5°—7°左右。超过这个角度，就是太斜；不及这角度，就是太平，都不好看。所谓竖直，就是每一个直画，不论中间、左右、上下都要画得很直，不可歪斜倾侧（但"门"的左直，"亻"、"彳"等的直画例外）。

### 48. 何谓匀称？

答：匀称是指按照字形笔画，对每字、每笔作适当安排，而不是"均匀"的意思。因为字形有长短、大小的不同，笔画有多少、斜正的不同，如每字都依方格，四平八稳地写成同样大小，每笔都写得一样长短，均匀是均匀了，可是看上去不顺眼。总的说，笔画多的，宜写得瘦些；笔画少的，宜写得肥些；每个字里，点画的安排要长短合宜。

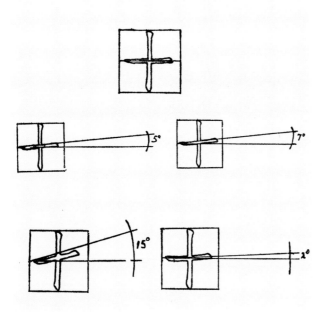

点画结构的基本原则

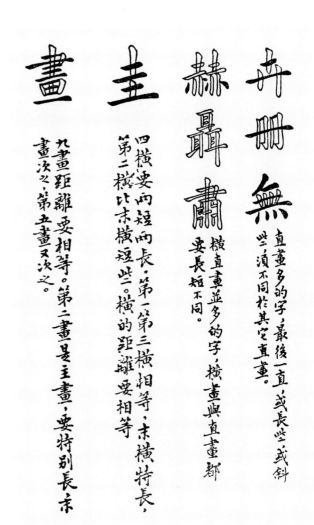

点画结构应匀称

## 49．何谓连贯？

答：连贯是指点画之间的气势相连，互相呼应，笔道之间有有机联系，而不是每一笔都单摆浮搁、互不相干。注意了笔道之间的连贯呼应，就能使整个字显得有气势而生动。试以"点"举例。

## 50．何谓挪让？

答：挪让是指组成字的各部分点画之间彼此相让，又互相呼应，使笔画多的字不显得密集，笔画少的字不显得疏空。如"䜌"当中的"言"上画短，给两旁的"纟"让出地位；"辧"字当中的"力"写得靠下，给两旁的"辛"字的肩膀让出地位；再如"马"旁、"纟"旁、"鸟"旁的字，左边都要写得平直，给右边的半个字让出地位；其他有左右偏旁的字，也都依此类推。

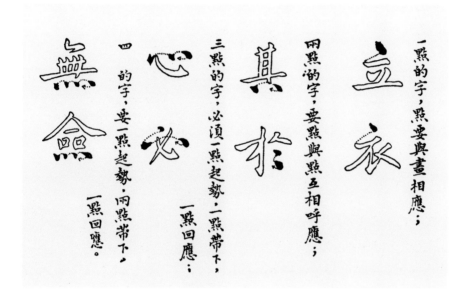

笔道之间应连贯

点画间的挪让

**51. 何谓变化？**

答：变化是指一个字中有两个以上相同笔画的，要变化形状，避免雷同。

**52. 间架有哪些要求？**

答：字的间架须大小、长短、宽窄、斜正得宜。

**53. 何谓大小？**

答：字形大的写得大些，字形小的写得小些；笔画多的写得大些，笔画少的写得小些，这就叫大小得宜。如"日"字和"国"字大小悬殊，不能写得一样大；"一"字"二"字笔画少，也不能写得和"仪"、"虑"等笔画多的字一样大。

**54. 何谓长短？**

答：长短是指根据字形本身的长短不一，而安排不同的结体。字形长的，写得长些；字形短的，写得短些。如"东、自、目、耳、茸"等字，字形比较长，"西、白、日、臼、四"等字，字形比较短，就不能作同一安排。

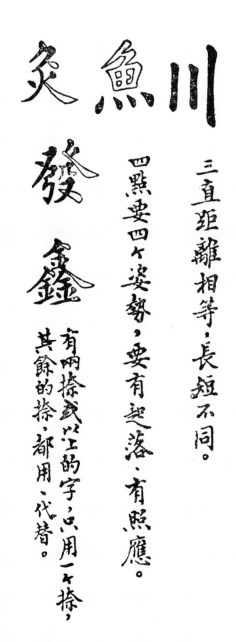

三直距离相等，长短不同。

四点要四个姿势，要有起落，有照应。

有两捺式止的字，只用一个捺，其余的捺，都用、代替。

笔画应避免雷同

字形需大小适宜

### 55. 何谓宽窄？

答：宽窄是指根据字形本身的肥瘦作适当安排。笔画多的字宜写得瘦些，笔画少的字宜写得肥些；左右结构的字写得肥些，上下结构的字写得瘦些，使其宽窄得宜。

### 56. 何谓斜正？

答：斜正是指根据字形的斜正分别作不同安排，如"朋"字字形斜，"黉"字字形正，写起来就不可把斜的强扭成正的，正的反写成斜的，也要斜正得宜。

### 57. 讲究这些有什么好处？

答：字的间架注意了大小、长短、宽窄、斜正这几个方面，一篇当中有大有小、有长有短、有宽有窄、有斜有正，而又各得其所，错落有致，就不会显得呆板。东晋时代有名的大书法家王羲之说过："字写得像算盘珠一样，一颗颗排列得整整齐齐，便不能算书法。"讲究大小、长短、宽窄、斜正的适当安排，正是为了避免这种"状如算子（算盘珠）"的毛病。

### 58. 什么叫行款？

答：行款是指字与字之间的有机联系。第一字的末笔与第二字的起笔，第一行的末笔与第二行的起笔，虽不一定相连，但笔意贯通，看上去一气呵成，而不是各管各的，用互不相干的每个单字硬凑成文，这就叫"行款"。不论楷书、行书、草书、隶书都要讲究行款，这样，一篇字看起来很生动、完整，而不是勉强凑成。下面以王羲之的草书《表乱帖》为例说明字、行之间的有机联系。

### 59. 横写要不要讲究行款？

答：横写也要讲究行款，因为横写的字与字之间同样存在起笔与末笔气势相连，一气呵成的问题。

字形肥瘦应安排适当

字、行间应有机联系

## 六、摹与临

"摹"与"临",是传统的有效的练字必经程序。旧时代老师教小学生写字,总是先写"描红"(北方叫红模子),后写"影格"(北方叫照格,也叫仿影)。"描红"是用墨笔依着印有红字的描红本直接填写;"影格"是用薄纸蒙在字帖上隔纸描写。这是"摹"的两个步骤。练习写字,必须先"摹"后"临",不过我们现在应该变通办理,将"描红"、"影格"两个步骤并在一起来做,以缩短练习过程。

摹的方法是:先从帖里挑选清楚完整的单字(古代碑帖因年久剥蚀断裂或拓裱不精,往往有模糊不清的,所以必须挑选),用透明而不透墨的薄纸(如打字纸、有光纸、雪连纸等)蒙在帖上,依着帖字的轮廓,用极细的线条勾成空心字(书法术语叫"双勾")。然后把双勾的字作为描红本,第一步蘸红墨水填写,第二步蘸绿墨水或纯蓝墨水填写,最后用墨填写,这样一本双勾本可填写三遍,最后变成原帖的复制本,再就这复制本蒙上薄纸写"影格"。

不过有两点必须注意:一、勾空心字要极细心,勿使丝毫失真(双勾线条稍微偏里一些,勾出的字就会比帖字瘦;稍微偏外一些,勾出的字就会比帖字肥。必须刚好在帖字的边缘上,方不失真)。二、每次填写时,要注意不要写出双勾轮廓之外,不然就要破坏字形。至于写"影格"时,尤需注意"亦步亦趋",帖字粗,我也跟着粗;帖字细,我也跟着细,总之要完全跟着帖走,不要任意变动。

这样做,一方面利用双勾,制成描红本供填写,一方面通过复制本写"影格",可以避免原帖被墨污损,可称一举两得。我们为了求其简便,省去"描红",一开始就写"影格",也无不可,只要把双勾本填上墨就成了。再说,现在印刷术比以前方便,好的碑帖墨迹,多有石印本或珂罗版本印行,如经济条件许可,买帖时可以买同样两本,一本备"临"写用,一本按页拆开,当"影格"用。这样可省去双勾帖字的一道手续了。

一本帖经过三遍"描红"(或不经描红),几遍写"影格",大约不过三个月光景,对帖字的笔法、结构已渐熟悉,下笔也已有相当把握,这时就可以开始"临"帖了。

临帖有格临、对临、背临三个步骤:第一步是格临。取云母片或薄玻璃片或洗净的废摄影软片。照帖字大小画上九宫格或米字格,把这格字放在帖字上面,然后在现成印有九宫或米字格的练习本:照式临写,也可以在别一张纸上画上放大的格子(一般比帖字格子放大三分之一倍或二分之一倍,不可太大),蒙着白纸临写,临写的时候,先看清帖字哪一笔在格子的哪个部化里,照着它也写在该一部位里,这样才不致走样。不然,宁还是这个字,笔画、间架的位置跟帖字不同,那就是"抄"帖而不是"临"帖了。抄帖是练字者最易犯的毛病,必须注意避免。

"格临"临过几遍之后,就可进入第二步"对临"。"列临",就是不用格子,直接对着帖临写(也需放大三分之一或二分之一倍。临写时,最好将帖用特制的帖架架起),放在桌子前方(如无帖架,用几本书或其他东西把帖架起来也可以),对着它写。又须注意要看一字写一字,不要看一笔写一笔,因此必须先经"格临",熟悉了帖字的笔画、间架,然后方可"对临"。

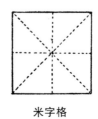
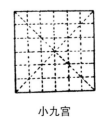
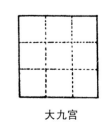

米字格　　　　　　小九宫　　　　　　大九宫

第三步"背临",就是把帖收起,凭记忆默写。"背临"一般有两种方法:一种是把帖字全部临完,即临到熟透以后,从头至尾默写出来。一种是随临随默,临熟多少字,即默写多少字。这两种办法都可以用,而且可以合起来用。先局部默写(即临几字默几字),后全篇默写,默写完毕,要与原帖比对,发现某些点画或间架跟帖里小一样,要改正重写(对临时也要如此)。一本帖到能全部默写,而且写得跟帖很相像,才算初步成功。但这样的成功是不巩固的,如就此停止不临,隔了些时日,还会回生,所以就是能把帖全部默写出来,仍须继续临写,这时可以"对临"、"背临"相间为之。等到帖里的每一个字都能牢牢记住,永不忘记,即使帖里所没有的字,也能写得跟帖字相仿佛,至此才可告一段落。

从"对临"到"背临"这一段过程,需要较长时间方能走完。时间多长,一要看帖字多少,二要看练习的人能否坚持执笔运笔的基本法则,三要看练习的人是否有时间和决心使之不间断。如帖字不太多,能坚持基本法则,能天天临写不间断,以每天临五六十字,每十天临完一遍计,大约一年可得到初步成功。之后为了巩固已取得的成绩而继续临写,大约再需几个月。合起来算,总共所需时间约一年半,当然如再加紧练习,这段时间还可缩短。

在临写过程中,还有两件事须注意:一是字要写得慢,不要快。既然"临"帖不是"抄"帖,那么只有慢慢地写,才能学到帖里的笔法、间架,才能把笔和墨都送到家,不致浮而不实。往往有些人,临一篇字,很快就完事,这样草草了事,是练不好字的。总的一句话,就是要认真,千万不要马虎敷衍。二是每天临写的字课要好好保存,不要随便丢掉,每隔一定时候,拿出来跟前些日子临的对比对比,看看究竟有没有进步或是进步了多少。

## ■ 百问百答

### 60. 什么叫临?什么叫摹?

答:"摹"有"描红"、"影格"两种,前者是用墨笔依着印有红字的描红本直接填写,后者是用薄纸蒙在字帖上隔纸描写,北方也叫做"榻"。"临"是在"摹"的基础上,对着帖照样写。练写程序要先摹后临。

### 61. 为什么要先摹后临?

答:练习写字,必须先摹后临。这是因为初学写字,手不熟练,笔不稳定,必须先经一段时间的摹来打定基础。即使是已有一定书写基础的人,拿到一本新帖,对它的内容还完全陌生,只觉得帖里的字写得好,不知道好在哪里,更不知道应该怎样写,也必须通过摹写,掌握了帖字的笔法、间架、精神、面貌,然后再临,方不致茫无头绪。

邓散木临王羲之《圣教序》

### 62. 怎样摹？

答：前面已经讲过，"摹"有两个步骤，即"描红"和"影格"。拿到一本帖，我们可以先从中挑选清楚完整的单字，用透明而不透墨的薄纸，如打字纸、有光纸、硫酸纸等，蒙在帖上，依着帖字的轮廓，用极细的线条勾成空心字，这叫"双勾"。然后把双勾的字作为描红本，第一步蘸红墨水填写，第二步蘸绿墨水或纯蓝墨水填写，最后用墨填写，这样一本双勾可填写三遍，最后变成原帖的复制本，再就这复制本蒙上薄纸写影格。

### 63. 开始就写影格可不可以？

答：如写字已有一定基础，手比较熟练，笔掌握稳定，那也可以跳过"描红"，直接写"影格"。

### 64. "摹"的过程中要注意哪些问题？

答："摹"的过程中要注意三点：一、勾空心字要极细心，不要使之有丝毫失真，因为双勾线条如稍微偏里一点，勾出的字就会比帖字瘦；稍微偏外一点，勾出的字又会比帖字肥，必须刚好在帖字的边缘上，方不失真。二、写描红时，要注意不写出双勾轮廓之外，不然就会破坏字形。三、写"影格"时，也必须注意跟着帖字走，帖字粗，也要跟着写得粗，帖字细，也要跟着写得细，不要只描个字形，不注意点画。

### 65. 要摹多久才可以临？

答：一般说来，一本帖经过三遍"描红"（或不经描红）、几遍"影格"，大约三四个月，对帖字的笔法、结构已渐熟悉，下笔也有了一定把握，这时就可以开始"临"了。

### 66. 怎样临？

答：临帖也有两个步骤，即一是"对临"，二是"背临"。应该先"对临"一段时间，待帖字的间架结构都深深地印在脑中时，然后再"背临"。

### 67. 何谓对临？

答："对临"，简单地说，就是对着帖临写。也可以分成两步走，先"格临"，然后撤掉格子临写。"格临"的办法是：取云母片或薄玻璃片或洗净的废胶卷，照帖字大小画上九宫格或米字格，然后在印有九宫格或米字格的练习本上照式临写。临写的时候，看清帖字哪一笔在哪个部位，照着它也写在该部位里。这样经过几遍以后，再撤掉格子，直接对帖临写。临写时，最好将帖用特制的帖架架起，放在桌子前方，对着它写。如无帖架，用几本书摞起来代替，或用其他东西代替也可。

邓散木临《道因碑》

帖架正视　　　　　　　　帖架侧视

帖字　　　　　　　　临字

### 68. 对临要注意什么？

答：对临一定要注意看一字写一字，不可看一笔写一笔。因此必须先经"格临"，熟悉了帖字的间架结构，然后才可"对临"。

### 69. 临帖要比帖字放大多少？

答：临帖一般比帖字放大三分之一倍或二分之一倍。不论格临、对临或背临，都要比帖字放大些为宜。

### 70. 何谓抄帖？

答："抄帖"是练字过程中易犯的一个毛病，就是虽然对着帖，但只抄字，不顾间架、点画，自作主张，任意为之。这种毛病，最要不得，必须注意避免。

### 71. 何谓背临？

答："背临"就是把帖收起，凭记忆默写。"背临"一般也有两种方法：一种是把帖字全部临完，即临到熟透以后，从头至尾默写出来；另一种是随临随默，临熟多少字，就默写多少字。这两种方法都可以用，而且可以结合起来用，先局部默写，后全部默写。默写完毕，要与原帖比对，发现某些点画或间架跟帖里不一样，要改正重写。

### 72. 学书到能背临，是不是已算成功？

答：学书到能够全部默写，而且写得跟帖字很相像，还只能算初步成功。因为这种成功并不巩固，

如果就此搁笔不临，隔了些时，就会回生，所以必须坚持不懈地继续练习，到把帖里的每一个字都记得很牢，而帖里没有的字，也能用帖字的笔法写得同帖字很仿佛，这才可告一段落。

### 73. 何谓读帖？

答："读"帖就是指多看，多与帖里的字打交道，这样可以帮助记忆帖字特征，加深印象，避免回生。

### 74. 怎样读？

答：可把原帖拆开钉在墙上或压在玻璃板下，空闲的时候就对着它看，细细体会每个字的笔法、间架，隔十天半月换一页，这样周而复始，自能加深记忆，巩固临写的成效。在"读"帖的同时，还可以把自己临写的字课放在原帖旁边，加以比较，分析哪些地方像，哪些地方不像，不像的原因在哪里，在临写时再注意改正。

### 75. 临摹的全部过程需要多长时间？

答：临摹的全部过程所需时间因学书者的时间、条件不同而长短不同。一般说，能每天坚持临写六十字左右，空闲时又能经常"读帖"的，大致有一年时间，便可达到"背临"得比较熟练，能够掌握帖字的笔法、间架了。但如果练练停停，不能坚持，那么掌握帖字特征所需的时间自然要比上述情况长得多。

### 76. 每天宜写多少字？

答：每天写多少字，也没有硬性规定，还是视各人的时间、条件而定。当然，有条件的，临写得越多越好。

### 77. 什么时候才可换帖？

答：要能"背临"到十分熟练后才可换帖，但如这一家的帖不止一种，那就应仍换这一家的其他帖，等到把这个书派的几种帖都临遍，才可再换别家法帖。

### 78. 临摹时有哪些易出现的问题要注意避免？

答：临摹当中必须注意避免的问题，第一条前面已经讲过，就是不可自作主张，要亦步亦趋，跟着帖字走。二是不可"见异思迁"，选定某一本帖，就要坚持临下去，直到能完全掌握为止，切不可今日学甲，明日学乙，这山望着那山高，换来换去，必然哪种都学不好。三是不可"流水作业"，今天临第一页，明天临第二页，后天临第三页，临完全帖，再从头临起，这种"流水作业"式的做法是要不得的，因为每天换临一页，等于每天换写若干生字，要临完全帖方能再回过头来第二遍写这些字，这样不利于记忆帖字特点。应该每天临同一页帖字，临上十天八天，等临熟了，再换临他页，如有某一字或某几字总写不好，还应提出来专门临写，直到自己觉得满意了为止。应该注意的第四个问题是不可"一曝十寒"，高兴时写上好几百字，忙起来又扔在一边，几个月不写一个字，这样三天打鱼、两天晒网也是练不好字的。

### 79. 临了一段时间以后，自己看看反而退步了，怎么办？

答：这是临帖过程中经常出现的现象。因为写字是手眼并用的，手只管执笔写字，写得像不像，进步不进步，要靠眼睛去观察评比。而自然规律则是眼比手快，往往眼睛能看出帖字的特征，而手还达不到，或者眼睛能看出自己写的字的毛病，而手又一时改不了，这就是所谓的"眼高手低"。学书到了一定阶段，往往会出现这种情况，就是眼睛因为看得多，眼光高了，而手却不够熟练，所以自己越看好像越退步。遇到这种情况，不必灰心丧气，自暴自弃，只要坚持练下去，自会苦尽甘来，不断进步。有时，这种情况会持续一段很长的时间，那也不妨暂时把笔砚搁起来，停上十天半个月，然后再继续临写，到时自会出现新的境界。这样每经历一次，就会把你的眼法手法向前推进一步。

## 七、选 帖

关于临帖的基本法则和应该注意的各种问题，前面已谈得差不多了，接下来谈谈怎样选帖和怎样换帖。

我国书法艺术，丰富多彩。就书体来说，有篆、隶、正（正楷，亦称楷书）、行、草，以及行楷、行草等等。就书派来说，有钟（繇）、王（羲之、献之）、虞（世南）、褚（遂良）、欧（欧阳询）、颜（真卿），以及蔡（襄）、苏（东坡）、黄（山谷）、米（元章）等等好多家数。各种书体有不同的体制、写法，各家书派有不同的面貌、风格，我们究竟应从何入手呢？

先谈书体。前人对练习书法的程序，有的主张先学篆书、隶书，然后再学楷书、行书、草书；有的主张先学楷书，然后上追篆、隶。从书体源流来看，自应先学篆、隶，篆、隶基础打定，再写楷书、行、草，就轻而易举。不过我们知道执笔、运笔等基本法则，古今一理，无论学哪一体，都可应用。从实用观点来看，楷书、行、草的使用面要比篆、隶广泛得多，而且前面已说过我们今天并不要求每一个练字者都成书法专家，所以我认为先从楷书练起，比较实际。楷书写得行些，就是行书、行楷；行书写得草些，就是草书、行草；楷书练好了，再学行、草书，是轻而易举的事。隶书在今天，那是作为装饰艺术中的美术字在使用着，还有一些实用价值，如在楷书的基础上进一步学习隶书，也非难事。至于篆书，既不易认识，除应用于刻印而外，又并无用处，尽可不去学它。不过楷书有大楷、小楷之分，有人认为应先练大楷，有人认为应先练小楷，我的意见是写小楷笔尖的括动范围较小，不易施展，大楷练好了，缩小写小楷，没多大问题，所以还是先练大楷。

书体确定了，现在来谈谈书派。同是楷书，一派有一派的面貌，各不相同，如欧字方而瘦，颜字圆而肥，虞字婉转，褚字飘逸等等。我们学哪一家，当然可以随自己的爱好决定，如喜欢肥大的就学颜，喜欢方正的就学欧等。至于选帖，流传印行的各家碑帖多不胜举。

碑帖选定了，就要专心致志地临写，不要见异思迁。比如选定的是欧阳询的《九成宫醴泉铭》，就依着"摹"、"临"方法，一步步练下去，直到真正成功为止，这时欧字的基础已打得相当扎实，如有意在这基础上再提高一步，就可以另换其他碑帖了。但欧字的面貌、风格，不仅仅止于《九成宫》，如他写的《皇甫君碑》、《虞温恭公碑》等，都与《九成宫》有某些不同，因此当练完《九成宫》后换临他帖，仍应到欧帖里去找。直到把欧书各种碑帖一临遍，练习欧派楷书这一阶段才算结束。到这时候，如写字兴趣越来越浓而客观条件许可的话，就可以换学颜、柳等其他书派，以求由专而博了。

《颜勤礼碑》
（局部）
颜真卿

## ■ 百问百答

### 80. 我国书法有哪些书体?

答：我国书体种类很多，概括地讲，有篆、隶、正（楷）、行、草以及行楷、行草等等。

### 81. 初学以哪种书体为宜?

答：根据实用需要，初学以正楷为宜。在掌握了正楷的基础上，写得流动些，就是行书；行书再草些，就是草书。正楷学好了，再学行、草书，就比较容易了。隶书在今天主要用于装饰艺术，日常用途并不很多，在学好楷书的基础上再学也非难事。至于篆书，实用价值不大，就不一定要去学了。

### 82. 先学小字还是先学大字?

答：先学大字比较好。因为大字笔道粗、字形大，比小字容易看清和掌握用笔及间架结构特征。在练好大字的基础上，再缩小写小楷，没多大问题。

### 83. 我国书法有哪些流派?

答：我国书法有悠久的历史，流派很多，不同书体有不同的书家代表，非本书所能介绍完全。今天常见及常用的行、楷书体，有二王（王羲之、王献之父子）、欧（欧阳询）、虞（世南）、褚（遂良）、颜（真卿）、柳（公权）、赵（孟頫）等。

### 84. 学哪一家最好?

答：这些流派各有千秋。学书者可以根据个人爱好自己选择。但初学还是以方正一路为宜。

### 85. 可供初学的有哪些帖?

答：下面开列一些适于初学的帖目，供选择参考：北魏《张猛龙碑》

唐颜真卿《多宝塔碑》

唐颜真卿《颜勤礼碑》

唐柳公权《玄秘塔碑》

唐欧阳询《九成宫醴泉铭》

唐虞世南《孔子庙堂碑》

元赵孟頫《福神观记》

### 86. 怎样选帖?

答：选帖首先着眼于临习方便，因此必须拣帖字清楚的印本。清楚，是指笔道清楚，能看得出笔法。从这点出发，拓本一般以时代早的为好，因为距离原碑时间愈近，风雨磨砺等影响愈少，笔道就愈清楚。不过现在文物出版社及上海书画社等出版单位选印的一些碑帖，都是据国内最好藏本印制的，初学者买这些印刷品即可，不必搜求拓本。

### 87. 现代人写的法帖，可不可学?

答：也可以学，但总不及学古代法帖好。因为现代人法帖的好多笔法是从古代法帖里学来的，不如学古代法帖直接学"源"为好。

《九成宫醴泉铭》（局部） 欧阳询

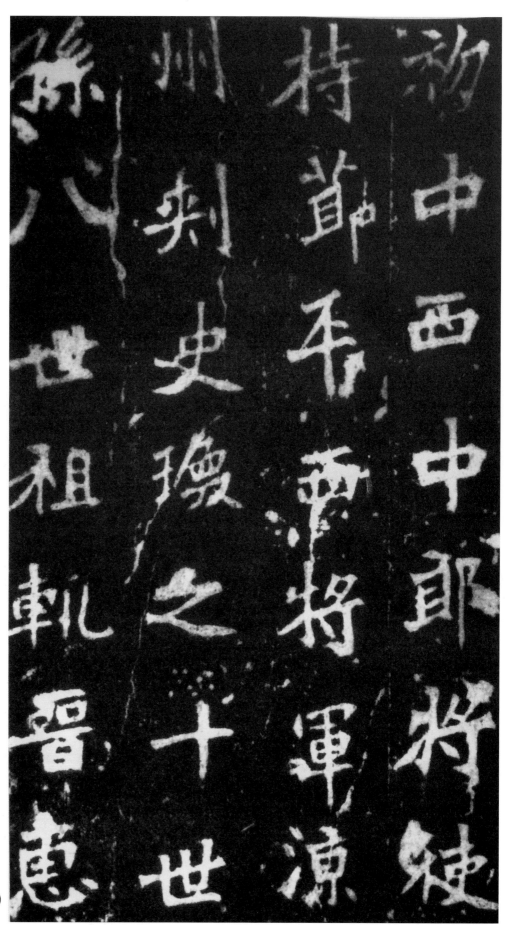

《张猛龙碑》（局部）
北魏

驚　熱　黙　驚　窮　麻　嵒

挐　龍　鑒　鑒　竊　範　錄

摯　縈　聚　聲　羅　覆　窺

《多宝塔碑》(局部)
颜真卿

《玄秘塔碑》（局部）
柳公权

遍讀群籍乃製金鏡述一

篇永鑒哉極聖人之用

心弘大訓之微言妙道天

文煥乎畢備副君齊儁上嗣

之尊體元良之德降情儒

遊心經藝楚詩盛於六

《孔子廟堂碑》（局部）
虞世南

# 八、工 具

写字工具，不外笔、墨、纸、砚，旧称"文房四宝"。临帖时，除了必须注意掌握前面所说的各种基本原则以外，写字工具的好坏，也相对地影响着我们的练习成果，所以这里需要谈谈写字工具的选择和使用方法。

### 笔

制笔材料，主要是动物的毛，所以叫做毛笔。毛笔的种类很多，性能也各有不同，一般写字用笔，大致分硬性、软性、中性三类。

硬性的笔，有兔毫（紫毫）、鼠毫、鹿毫、狼毫等等。软性的笔，有羊毫、鸡毫等。中性的笔称兼毫。兼毫现在通行的有羊紫兼、羊狼兼两种。羊紫兼本来有好多种，现在只分七紫三羊、三紫七羊、五紫五羊三种。七紫三羊，紫毫成分多，故较硬；三紫七羊，羊毫成分多，故较软；五紫五羊，两者成分相等，故最软硬适中。

羊狼兼分羊狼毫、狼羊毫两种。前者狼毫成分多，故较硬；后者羊毫成分多，故较软。就使用方面说，用惯软笔的，改用硬笔，更可得心应手；用惯硬笔的，改用软笔，就觉得难以掌握。所以初学写字，还是用羊毫的好。如嫌羊毫太软难使，则可用三紫七羊、五紫五羊或狼羊毫。

不过羊紫兼笔，只能写寸楷以下的字，不能写较大的字，如临颜字，就更不能胜任，所以选用什么笔，还要看字的大小而定。甚至写小楷，一般多用羊紫兼笔或紫狼毫、乌龙水、大绿颖、小绿颖等所谓水笔。过去老师教小学生练大楷，总叫他们用"小大由之"，其实"小大由之"中掺苦麻，不是纯粹羊毫，是不适宜用来临帖的。

写字用笔，宜大不宜小，要用大笔写小字，不要用小笔写大字。大抵写一寸以内字要用中楷笔，写中楷要用大楷笔，写大楷或三四寸左右字要用对笔（写对联用的大笔）。

笔锋越长则弹力越强，所以选笔时须挑长锋。所谓"锋"，就是笔尖捻开捺扁后，在阳光下照看，靠近笔尖的那一段透明的部分。"长锋"，即透明的一段较长。一般以为笔头长的就是"长锋"，其实是不对的。

### 墨

临帖练字，不必用珍贵的好墨，只用普通墨就可以了。

古话说："磨墨如病夫。"就是说墨要磨得轻而慢，像病人走路一样，不可性急。磨墨时要在砚台上垂直地打圈儿，圈儿要大，不要只绕小圈子，不要向外向内直里推动。要注意保持方正，必须平磨，不要斜磨。

磨墨用水，宁少勿多，磨浓了，加水再磨浓，如一下注入多量的水，未待磨浓，墨已浸松，这样是不好的。另外，要注意不可用茶或热水来磨墨。

墨太浓了，笔头腻住拖不开，不能挥洒自如。太淡了，墨在纸上容易渗开，有时甚至会使写的字模糊一片。所以，墨要磨得浓淡适中。又墨最怕风吹日晒，磨毕候干，就要装进匣子，以免坼裂。

磨墨比较费时间，可利用这段时间观摩字帖，一面磨墨，一面读帖，手眼并用，正好一举两得。同时，瞎墨尽管磨得轻而慢，磨久了，手总有点累，待墨磨浓，手已乏力，写起字来便会发颤，所以最好能练会用左手磨墨。

为了省事，也可以用墨汁代替磨墨。墨汁里含有强酸成分，能起腐蚀作用，缩短笔的寿命，所以还是费些时间磨墨好。

### 纸

临帖用纸，一般都用元书纸（亦叫芸书、玄史），毛边纸，或将乐纸（毛边的一种）。北方糊窗用的高丽纸、迁安纸和贵州皮纸，也都可以用。临帖用纸，总的说以毛糙而能吸水为主要条件。如一时办不到上述的纸，可以用其他纸代替，但一般的机制纸如道林纸等，因纸面太光滑，且纤维组织较密，不易吸墨，故不适宜作临帖之用。

### 砚

砚有端砚、歙砚两类。端砚品种较多，价值很高，歙砚比较普通，所以临帖只要买一方歙砚就可以。不过最好能买有盖子的砚池（有方圆两种，都可用，大的叫"砚海"）。砚池的好处有三：一、蓄墨多。二、墨不易被风吹干。三、尘土不致飞入。

用砚池的，可多磨些墨，供两三天使用。但酷热的三伏天，磨好的墨一隔夜，不是干了，就是臭了。严寒季节里，墨又容易冻结，室内有火炉或暖气的，墨又易被烤干，所以都不及现用现磨的好。又北方天气干燥，墨也易干，也以用多少磨多少为宜。

砚用过了必须洗干净，否则被墨渣胶着，高低不平，墨无法磨．且易损坏笔毛。洗砚最好用吃空了的莲房或丝瓜络，不要用破布、纸片或用废牙刷去擦，以免损伤砚石。砚如几天不洗，砚上墨渣胶得很牢固，一时洗不掉，千万不要用刀子去刮，可注些清水，等胶着的墨渣松动后再洗。

## ■ 百问百答

### 88. 毛笔有多少种?

答:一般写字的笔,大致分软性、硬性、中性三类。软性的笔,有羊毫、鸡毫等。硬性的笔,有紫毫(兔毫)、狼毫、鼠毫等。中性(不软不硬)的笔称"兼毫",有羊紫兼、羊狼兼两种。

### 89. 练习书法宜用软笔还是硬笔?

答:选用什么笔,要看字的大小而定。写大楷、隶书宜用软笔;写小楷、行、草书宜用硬笔。

### 90. 怎样选笔?

答:笔的好坏,以"尖,齐,圆,健"为标准。所谓"尖",就是笔毛聚拢时笔锋要尖锐。所谓"齐",就是把笔毛捺扁时看去要齐,可用手指把笔头捻开、捺扁,看是不是内外都齐,像篦子的齿一样,没有参差长短。所谓"圆",就是写起字来,四面都圆转如意,必须整个笔头像初出土的肥笋,圆浑饱满,没有凹凸。所谓"健",就是弹性较强,把新笔捻开,蘸些唾沫,在大拇指甲上来回绕圈儿,笔尖要圆转自如,没有"抢毛"(突出在旁边的笔毛),绕罢提起,笔尖自然收束,回复尖挺。将这四个条件合起来考虑,可知选笔时应挑笔毛肥些厚些的,不要又瘦又单的,写起来方能得力。

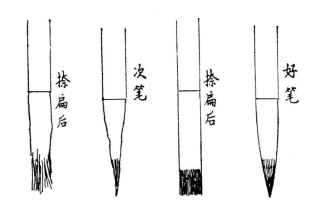

如何区别笔的好坏

### 91. 怎样护笔?

答:新笔笔头上有胶,买回来后,须先浸在凉水里让它自己慢慢发开(不要用热水),不要硬捻或用牙咬开。写中楷的笔,发开整个笔头的三分之一;写大楷的笔,发开整个笔头的一半,不要多发或全发开。字写毕,须把笔头上的余墨用清水洗净、挤干,抹顺笔毛,插入笔筒或套上笔帽。如放置较长时间不用,还应在放笔的匣子里搁上樟脑,以防虫蛀。这些做法,都是为了保护笔毛不受损伤。

### 92. 练习书法用什么纸合适?

答:练字打基础要在比较糙而涩的纸上下功夫,所以用纸以毛糙和能吸水为宜,通常用元书纸、毛边纸、高丽纸都可以。

### 95. 怎样选墨?

答:写字用墨有松烟和胶墨两种,练字以胶墨为宜。选时要选分量轻、质地细(上面没有杂质)的。

### 94. 怎样磨墨?

答:磨墨要轻而慢,要保持墨的平正,要在砚上垂直地打圈儿,不要斜磨或直推。磨墨用水,宁少勿多,磨浓了,加水再磨浓。要用清水磨墨,不可用茶或热水。墨要磨得浓淡适中,不要太浓或太淡。磨毕要把墨装进匣子,以免干裂。磨墨时间比较长,为了避免右手酸累,最好能练会左手磨。

### 95. 用什么砚?

答:习字只要用普通的歙砚就可。最好能买带盖子的砚池(砚海)。

### 96. 工具不全怎么办?

答:纸可以用旧报纸或有光纸代替,不过要用毛的一面。墨可用墨汁或墨水。

## 九、其他问题

### 97. 我练习了好久，字还是写不好，这是什么原因？

答：那可能是方法不对头。应对照本书检查自己的执笔、运笔、用笔、临摹的方法，看哪些地方不对头的，及时纠正。

### 98. 为急于应用，光学行书行不行？

答：也可以。但光学行书，没有楷书的基础，往往抓不住行书的笔法特点，不如稍费些时间先练习一段楷书，打好基础再练行书。

### 99. 工作、学习都很忙，没有时间怎么办？

答：时间在于人去安排。练字以清早为最适宜，早上空气比较新鲜，头脑比较清醒，写起字来也比较轻松愉快，只要你养成早睡早起的习惯，能够早些起床，就可以临上几十个字再去上班或上学。如为客观条件所限，不能在早上练习，那么午休时、下班或放学后、临睡前，都可以抽出时间来练习，即使每天只能挤出半个小时，积少成多，时间长了，也能够不断进步。

### 100. 练习钢笔字是否也用同样方法？

答：练习钢笔字也可参照写毛笔字的办法，但要注意几点：一、用指运笔，不用腕运；二、不用逆笔回锋；三、注意横平竖直，掌握重心，大小得宜；四、注意用笔轻重。

鲁迅诗轴　行书

「 述 篆 」

# 一、文字之由来

上古之世，结绳为政，大事以大结，小事以小结，借以传达意旨。至伏羲氏创为八卦，始略具文字之形体。《易·纬》曰："虑戏作易，无书以画。"（《通卦验》）《新语》曰："先圣乃仰观天文，俯察地理，图画乾坤，以定人道。"（《道基篇》）《吕览》曰："史皇作图。"（《勿躬篇》）淳于俊曰："伏羲因燧皇之图，而制八卦。"（《魏书·三少帝纪》）此所谓八卦者，为一种特殊之文字，用以测天地万象之奥奥，而不用以纪社会一般之事物，尚未能成为完全之文字。结绳有文字之性质，而未有文字之形体；八卦具文字之形体，而未有文字之应用，其去书契盖尚差一间也。

追黄帝史臣仓颉、沮诵变八卦而为书契，著于竹帛，是为吾国文字之初祖。许慎曰："仓颉之初作书，盖依类象形，故谓之文；其后形声相益，即谓之字。文者，物之本象也。字者，言孳乳而寖多也。著于竹帛谓之书。书者，如也。"（《说文

解字·自叙》）案：仓颉造字，见"远"而知其为"兔"，见"速"而知其为"鹿"，交错其画，物像在是，文亦在是，然其时六书之谊未备，只限于象形指事，故后人谓仓颉之制文字，亦犹伏羲之创八卦，一为文字肇端，一为六书肇端耳。

如上所述，则知文字之由来，固有其渐，自结绳而至八卦，自八卦而至书契，由胚胎以至成形，其迹甚明。然此亦就其所然言之耳。若欲知其所以然，而求人类所以有文字之故，则不外二因：一为艺术之冲动，一为需要之压迫。结绳无论已，八卦始于"－"、"－－"，艺术之冲动也。演而为八，重而为六十四，则需要之压迫矣。书契始于图像，艺术之冲动也。进而为指事会意种种，则需要之压迫矣。大抵艺术不求用，而常为用之始；需要迫于用，而遂极用之衍。西洋文字，肇源于埃及，犹象形也。及罗马商人以急于用，遂一变而为拼音之字母，虽极其利，然原初之艺术性，则全失矣。中国文字，源于象形艺术，衍为六书，既尽文字之用，而其结体仍不失艺术之价值，虽今世病其艰于流通，然中国一切艺术，无不基于文字，绌于彼，盈于此，庶亦可以无憾乎？

| 朋 | | | | | | | | |
|---|---|---|---|---|---|---|---|---|
| 凤<br>(鳳)<br>通：风<br>(風) | | | | | | | | |

| 集<br>(雧) | | | | |
|---|---|---|---|---|
| 鸟<br>(鳥) | | | | |
| 弃<br>(棄) | | | | |

甲古文字

## 二、文字构成之因素

生民之初，人事简陋，故其文字，即仅限于象形指事，已足为用。及后人事渐繁，文字之需要寝迫，遂因象形指事，互为孳乳，于是以声与形相附而为形声，形与形相附而为会意，异其字同其义而为转注，异其义同其字而为假借，此即所谓六书也。六书既备，则构成文字之因素以广，故至周代以六书掌诸保氏，使教学僮，盖奉为识字之唯一途径矣。六书之名称，及其叙次，汉人所述，凡有三家，其说不一。三家者，班固（字孟坚，秦人）、郑众（字仲师，开封人）与许慎（字叔重，召陵人）是也。班氏之说曰："古者，八岁入小学，故周官保氏，掌养国子，教之六书，谓象形、象事、象意、象声、转注、假借，造字之本也。"（《汉书·艺文志》）郑氏之说曰："六书，象形、会意、转注、处事、假借、谐声也。"（《周官·保氏注》）许氏之说曰："周礼，八岁入小学，保氏教国子，先以六书，一曰指事，二曰象形，三曰形声，四曰会意，五曰转注，六曰假借。"（《说文解字·自叙》）班郑同首象形，盖本于历史之演进，许为哲家，以始一终亥立说，故首列指事。案：世界文字，起于象形，今已班班可考。且许氏自叙，亦明认吾国文字之源于象形，徒以哲家立说，不得不以指事为首，可谓削足适履者已。至形声先于会意，亦有未然，盖会意两体皆义，形声则其声符，大半无义可寻，此因两体皆义之法既穷，不得已乃衍之以声，观今俗书每多形声，即可知其孰宜先后矣。形声，班作象声，郑作谐声，声必傍形，然后成字，故有上形下声，下形上声，左形右声，右形左声等之别，如仅称象声、谐声，实不足以赅制字之因素。指事，班作象事，郑作处事。夫形可像，事不可像，只借某种符号以显其义，自不能目为象事，至处事一名，更不足以阐明符号之作用。故六书之叙次，当从班氏，而其名称，则当以许为宗。

六书既备，后人从以寻求文字构成之因素，其归纳之方法，亦各有不同，兹略述其概于下：一、宋郑樵曰："象形、指事，文也；会意、谐声、转注，字也；假借，文字具也。象形、指事，一也；象形别出为指事，谐声、转注，一也。谐声别出为转注，二母为会意，一子一母为谐声。六书也者，象形为本。形不可象，则属诸事。事不可指，则属诸意。意不可会，则属诸声。声则无不谐矣。五不足，而假借生焉。"（《六书略》）二、近人顾实曰："构成六书之原质者，象形、指事二者也。象形，出于图画者也；指事，出于符号者也；会意、转注，则以尽象形之流势；而假借、形声，则以尽指事之流势者也。"（《中国文字学》）三、顾实又曰："自宋明以来，言六书者，辄曰六书不外形声。是形声二者，又可为六书之本质也。形居其四，曰：象形、会意、转注、指事。声居其二，曰：假借、形声。"（《中国文字学》）四、近人刘师培曰："中国文化，与埃及同出于亚西，故古代文字，同出一源。象形者，即图解之谓也。指事者，即符号之谓也。形声者，即声音模拟之谓也。"（《周末学术史·序》）

兹就上举四说归纳如下：第一说：有二歧：一、以象形、指事、会意、谐声四者，为构成文字之因素。二、以象形、会意、谐声三者，为构成文字之因素。第二说：以象形、指事二者，为构成文字之因素。第三说：以象形、谐声二者，为构成文字之因素。第四说：以象形、指事、谐声三者，为构成文字之因素。

此四说，自以第二说为最长。第三说以形声为本，此仅可谓文字演化方法之分别，不能认为文字构造之因素。盖因素者，必在个体构造上，自有其分子之独立性。中国文字不同于欧西，形声、转注、假借，虽同属因声互赋，然其声符，本无确定，此与欧西文字，有其固定之拼音字母者大异，故欲以声为中国文字构造之因素，事实上有所不许。第四说以形、指、声为因素。诚知声素之不得立，则所余亦形，指耳，可以不论。至第一说以形、意、声为因素，声不当立，则余惟形、意。中国文字以形义为本，此说近人持之甚力，实则六书中会意字之构造，无非二形相交，乃以空虚之意义，认为构造之实体，无乃大谬？矧如许氏，以哲家立说，其所引之会意字，十九望文生义，徒为凿空之谈。如"武"，从"止"，从"戈"，止为足迹，是持戈舞踊，以示武怒之象，而曰止戈为武。仁，为"元"之变，从"二"，从"人"，二即"上"字。于天则人上为元，于人则人首为元，此象，指合体字耳，人首之元，犹言头脑知觉，遂读为仁义之仁。乃曰二人为仁。不亦穿凿诬妄之甚乎？

就上所论，可知文字构成之因素，当不出乎象形、指事。流势推演之道，以象，指为用，个体结集之方，亦惟象，指是本。虽欲矫异，不可得也。

商器铭文

甲骨文

## 三、篆书之演变

六书既备，而文字代表语言之能事以尽，然以人智日进，社会组织日就繁复，已有之文字，渐感应用不便，不得不因时制宜，有所改进。繁者，则或简之；简者，则或繁之。出入损益，务适其用。于是由古文而大篆，由大篆而小篆，此为书契文字初期演变之三个阶段。其后嬴秦之定八体，新莽之定六体，仅增其用，未变其体。迨夫汉及以后，隶分真行，以次递兴，形成后期之演变，篆书之用，虽日就减削，然其所存，间有出入二篆者，故亦附论及之。

### （一）古 文

许慎曰："周太史籀著《大篆》十五篇，与古文或异。"（《说文解字·自叙》）是古文大抵为史籀以前文字之通称，《晋书·卫恒传》载所作四体书势，其叙古文曰："汉武时，鲁恭王坏孔子宅，得古文《尚书》、《春秋》、《论语》、《孝经》、《汉世秘藏》，希得见之。魏初传古文者，出于邯郸淳，正始中立《三字石经》，转失淳法，因科斗（即蝌蚪）之名，遂效其形。"《三字石经》中古文（亦称孔子古文，亦称壁中书）字形皆丰中锐末，与科斗之头粗尾细者略近。又，晋太康元年，汲郡民盗发魏安釐王冢，得竹书漆字科斗之文。王隐曰："科斗文者，周时古文也。"而张怀瓘《书断》，则直指古文为仓颉所作。《路史注》亦曰："仓帝所制，乃古文虫篆，孔壁古文科斗书，即其体也。《魏略》言：邯郸淳善仓颉虫篆，是矣。"案：古无笔墨，以竹梃点漆，书竹简上，是为书契文。竹硬漆腻，画不能行，头粗尾细，像虾蟆子形，故曰科斗书。是凡漆书竹简，皆成科斗形，不必定为仓颉所作也。

《六书缘起》曰："三代遗文，多载于钟、鼎、彝、敦、鬲、甗、盉、卣、壶、瓴、尊、爵、斝、

豆、匜、盘、盂之铭，及岣嵝、石鼓、比干、季札诸碑刻。夏、商、周初者，古文也。宣王以后者，籀文也。"许氏《说文解字·自叙》曰："郡国往往于山川得鼎彝，其铭即前代古文，皆自相似。"是三代鼎彝文字，凡在周宣以前者，皆为古文甚明。然《说文》重文所载之古文，与今所见鼎彝铭文无相同者。陈介祺曰："说文中古文，皆不似今之古钟鼎，亦不言某为某钟，某为某鼎字，必向拓以前古器，无毡墨传布，许君未能足证。"（《说文·古籀补叙》）案：许氏言鼎彝铭文，皆自相似，是明言鼎彝文字，别为一体。《叙》末称："其称《易》孟氏、《书》孔氏、《诗》毛氏、《礼》周官、《春秋》左氏、《论语》、《孝经》皆古文也。"而不及鼎彝文字，是《说文》所载古文，仅限于壁中书，及北平侯张苍所献《春秋》、《左氏传》而已，其不能与鼎彝铭文相似，自无足怪正不必强为之说也。

泊夫后世，地不爱宝，逊清光绪戊戌己亥间，河南之殷墟（在安阳西北五里之小屯，其地在洹水之南。《项羽本纪》所谓洹水南殷墟上者是也）发现龟甲兽骨，上刻文字，大异于许书所载之古文及三代鼎彝文字，后人断为殷商时占卜所用，是为古文之最古者。

周器铭文

## （二）大　篆

大篆亦曰籀文，许氏《说文·自叙》，有周宣王太史籀著《大篆》十五篇之语，后人误以籀为人名，故名之曰籀文。案：《汉书·艺文志》谓："《史籀》十五篇，周宣王太史作。"太史下未著"籀"字。又谓："《史籀篇》者，周时史官教学僮书也。"是仅名其篇曰《史籀》，亦未直指籀为人名也。汉人更称之曰《史篇》。《汉书·王莽传》："征通《史篇》文字。"《说文解字》"奭"、"姚"、"匋"，三字下皆引《史篇》云云。段玉裁曰："许三称《史篇》，皆说《史篇》者之辞。"凡此皆足证籀之非人名。《说文解字·自叙》又曰："学僮十七以上，始讽籀书九千字，乃得为吏。"段玉裁曰："籀文字数不可知，尉律讽籀书九千字乃得为吏，此籀字训读书，与宣王《太史籀》非可牵合，或因之谓籀文者九千字，误矣。"王国维曰："《史篇》字数，张怀瓘《书断》谓籀文凡九千字，《说文》字数，与此适合，先民谓即取此而释之。近世孙氏星衍序所刊《说

文》，犹用其说，此盖误读《说文·叙》也。《说文·叙》引汉尉律讽籀书九千字，'讽籀'即'讽读'。《汉书·艺文志》所引，无籀字，可证。且《仓颉》三篇，仅三千九百字，加以扬雄训纂，亦仅五千三百四十字，不应《史籀篇》反有九千字。"案：《说文》所列籀文仅二百二十余字，其不列者，必与篆文同体。今就《说文》所列古籀文，略举数字，以明其同异之迹。

上举商、雷、网、等字笔画，籀文繁于古文，而封、西、疾等，则古文繁于籀文。他如屾之作峀，覛之作覛，笔画虽同，而偏旁易位，此皆许氏所谓与古文或异者也。

籀文既起于周宣，则凡宣王以后钟、鼎、彝器所载文字，应皆属之籀文。而王国维氏《史籀篇疏证·序》曰："战国时，秦用籀文，六国用古文。"是欲见史籀文字，又舍秦器莫属矣。秦器之见于世者，最著莫过《石鼓文》，而后出之《秦公敦》，亦甚籍籍人口。

篆文

古文

籀文

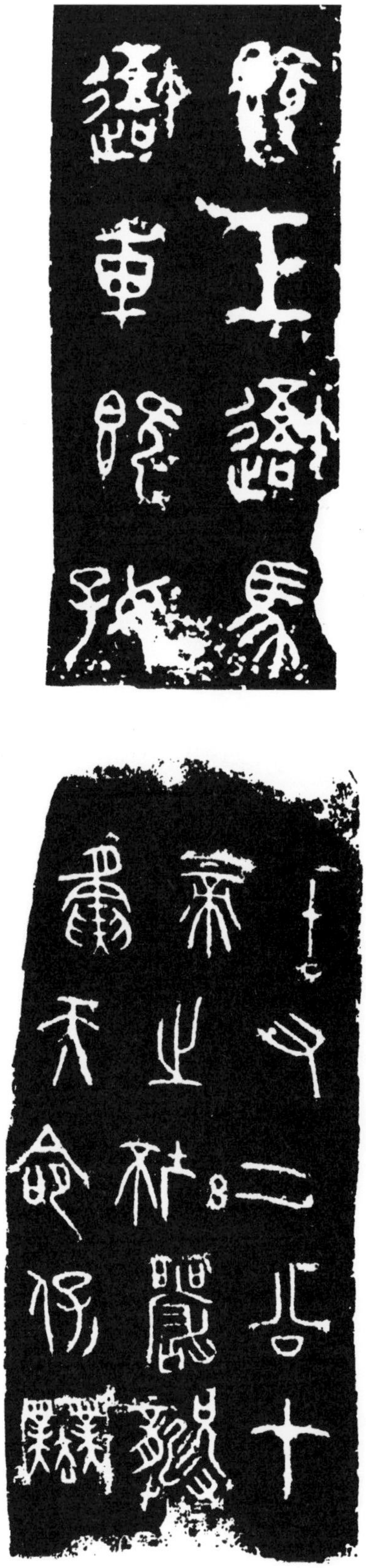

石鼓文

## （三）小 篆

小篆一名秦篆，秦丞相上蔡李斯所作。秦始皇廿六年，初并天下，诏同文字，故许氏《说文解字·叙》谓：“七国文字异形，秦初兼天下，丞相李斯，乃奏同之，罢其不与秦文合者。斯作《仓颉篇》，中车府令赵高作《爰历篇》，太史令胡毋敬作《博学篇》，皆取史籀大篆，或颇省改，所谓小篆者也。”因其作于秦时，故亦谓之秦篆。世皆以斯为小篆之祖，而不及赵胡者，亦同仓颉造字，而不及沮诵耳。省者，省其繁重；改者，改其怪奇。籀书改古文而云或异，则所改尚少；斯等改大篆而云或颇，则所改较多，然“颇”而曰“或”，可知并未尽改。既未尽改，则《说文》本字之下，不云“古文作某”，“籀文作某字”者，其字当同于古籀。其既出小篆，又云“古文作某”，“籀文作某字”者，方为斯等所省改之字，其理至明。段注许叙“皆取史籀大篆或颇省改”。下曰：“许所列小篆，固皆古文大篆，其不云‘古文作某’，‘籀文作某’者，古籀同于小篆也。其既出小篆，又云‘古文作某’，‘籀文作某’者，则所谓或颇省改者也。”可谓千古卓识。至小篆本字之下，复列秦石刻字，如：也之重文“[illegible]”，攸之重文“[illegible]”，及别出篆文作某字，或作某字，俗作某字等者，则又为小篆之变体矣。

小篆画皆如箸，以便笔札，故亦称玉箸篆。以创于李斯，故亦称斯篆。世所传者，有《泰山》、《郎邪》、《之罘》、《碣石》、《会稽》、《峄山》六刻石，今仅存泰山残石两片。《峄山》刻石，掊于魏武，今仅有宋郑文宝重刻南唐徐铉摹本，碣石亦仅清孔昭孔双勾木刻徐摹本，皆已神意两失。至今世所传之《诅楚文》，则为后人伪作，惟秦权、秦量、诏板，尚存斯篆面目，可资取法耳。

泰山残石　　　　　　　　　　　秦量

诏板

## （四）八体书

秦始皇帝时，更定书体为八：一曰大篆，二曰小篆，三曰刻符，四曰虫书，五曰摹印，六曰署书，七曰殳书，八曰隶书。

**大篆** 见前，兼收古籀。盖秦有大篆，无古文，避古文之名，而实以大篆该之也。

**小篆** 见前。

**刻符** 刻于符节之书，别成一体。刻所书敕命于符节，付使传行，两相符合而不差，本周制六节之一，秦承用之。

**虫书** 以书幡信。秦"永受嘉福"当，及汉"鸟虫书"印，皆是。

**摹印** 施于玺印。摹，规也，规度印之大小，字之多寡而刻之。李斯摹写《始皇碑叙》，亦用此体。

**署书** 所以题宫阙，犹今之榜书也。或谓署书为署名签押之书，秦以前用"亚"形，"亚"与"押"字通，至汉，则多代以画像（即肖形印），汉后则用为署押印。

**殳书** 伯氏所职。古者，文记笏，武记殳，因而制之。盖殳体八觚，随势而书，遂以为名。言殳以包一切兵器。汉之刚卯，亦殳书类也。

**隶书** 程邈增减大篆，去其繁复，为隶人佐书，故名隶书，又名佐书。与汉器颖识篆文相类，非今所传有挑法之隶也。

秦虎符

综兹八体，虽皆为秦世所通行，要仍以大小二篆为主。自刻符以下，即《汉书·艺文志》所谓六技，皆不离二篆，而各自加诡变，遂呈不同之面目，故以六技称之。王国维曰："大篆、小篆、虫书、隶书者，以言乎其体也；刻符、摹印、署书、殳书者，以言乎其用也。秦之署书不可考，而新郭、阳陵二虎符，字在大小篆之间，相邦吕不韦戈、秦公私诸玺文字，皆同小篆。至刻符、摹印、殳书，皆以其用言，而不以其体言。犹周官太师之六诗，赋、比、兴，与风、雅、颂相错综。保氏之六书，指事、象形诸字，皆足以供转注、假借之用也。"其说发前人所未发，可谓不磨之论。

古兵　　三代玉刀

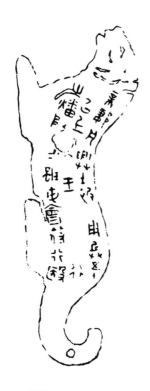 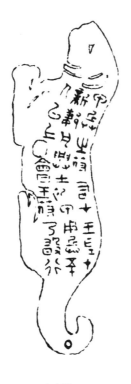 

**虎符**

新郭凡兴士被甲用兵五十
人以上必会王符，乃敢行之燔
队，事虽母会符行殹。

**秦新郪**

甲兵之符右在王左，在
新郪，凡兴士被甲用兵五十人
以上，必会王符乃敢行。

**吕不韦诏事戈**

事诏属邦

五年相邦吕不韦造
诏事图丞戟工寅

**秦阳陵虎符**

甲兵之符右在皇帝，左在阳陵。甲
兵之符右在皇帝，左在阳陵。甲兵之符
右在皇帝，左在阳陵。

## （五）六体书

秦社既屋，萧何入咸阳，收其图籍。汉初制作，大半出何手。当时书体，仍沿秦制，观其所草《尉律》"郡县之吏，试以八体，乃得为尚书令史"可证。迨王莽居摄，使大司空甄丰等校文书之部，自以为应制作，颇改定古文，制为六书：一曰古文，孔子壁中书也；二曰奇字，即古文而异者也；三曰篆书，即小篆；四曰左书（"左"，古"佐"字），即秦隶书；五曰缪篆，所以摹印也；六曰鸟虫书，所以书幡信也；其不言大篆者，则亦以古文该之也。秦之刻符，别成一体，至新莽用篆，则并入篆书矣。缪篆，即秦八体之摹印，故一名摹印篆。颜师古曰："缪篆，谓其文屈曲缠绕，所以摹印章也。"段玉裁曰："缪，读如绸缪之缪。"篆圆而印方，以圆字入方印，加以诸字团聚，疏密互异，故稍变小篆之形体，使之平直方正，变篆之形式，而不变篆之义法，近隶之结体，而不用隶之挑磔，缪篆之义，尽于此矣。

下举三印，如："桃"篆作"桃"，此作"桃"。"之"，篆作"之"，此作"之"。"印"，篆作"印"、"印"，此作"印"、"印"、"印"。"丁"，篆作"丁"，此作"丁"。"尹"，篆作"尹"，此作"尹"。"未"，篆作"未"，此作"未"。"央"，篆作"央"，此作"央"。绸缪之迹，可按图而索也。

尹未央印

丁若宏印

陶宫之印

## （六）汉代及以后之篆书

汉兴以后，地广事繁，文利省便，隶分遂代篆书而兴，由是篆法渐就式微，堪供考索者，亦甚仅矣。

西汉篆文碑刻，仅群臣上酬刻石，及甘泉山元凤刻石残字数种。

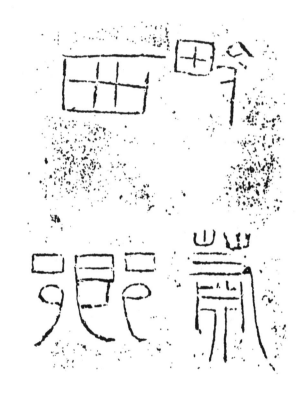

汉西乡钫　晔萧西乡

陶陵鼎（局部）

群臣上酬刻石

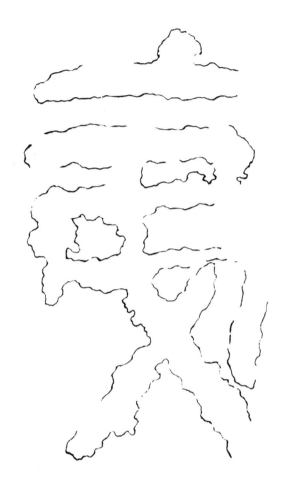

元凤刻石残字之一

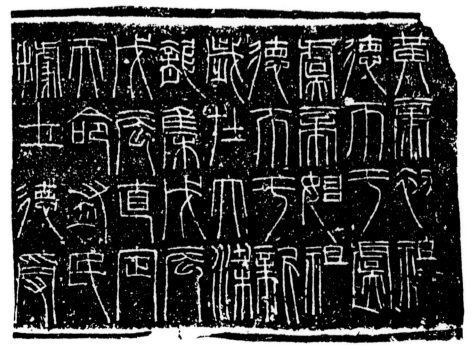

莽量

新莽篆迹，除居摄二年孔林坟坛石刻二种，及残量一种外，亦不多觏。顾其范金文字，则殊古茂可爱，今世所传泉布等品，类皆瘦劲廉悍，咄咄逼人，笔势舒展，尤大足为治印之助。

东汉篆书，仅嵩山少室、开母庙、西岳庙三石阙，及刘君墓表残字等数种，此外惟于汉碑篆额中，尚可得见一二耳。

莽泉　　　　　　　莽布

魏正始三体石经　　　　汉泰山都尉孔君碑篆额

魏晋六朝,隶真并行,篆文碑刻,至为罕见。魏仅正始《三体石经》,吴仅禅国山天发神谶二碑,晋仅安邱长城阳王君神道碑一种,刘蜀六朝,则无闻矣。至如梁萧子云之飞白篆,既无可征,而东魏李仲璇修孔子庙碑,真书中羼杂篆势,笔法既乖,六谊尽丧,是尤卑不足道矣。

唐代篆书,旧称鸟石山,《般若台题名》、《处州新驿记》、《缙云城隍庙记》、《丽水忘归台铭》,为阳冰四绝(李阳冰,字少温,赵郡人)。今仅存《般若台》及缙云《城隍庙记》。他如《李

氏三坟记》、《庾公德政颂》、《谦卦铭》、"黄帝祠宇"四字、"听松"二字、《金石录》载琅邪山新凿泉题字、《考槃余事》载《千字文》、淳化阁帖载《田寿篇》(阁帖误作李斯书)等皆阳冰所作。汉魏以还,篆书一脉,得以不至坠绝者,阳冰一人之力也。外此尚有袁滋(字德深,汝南人)所书之《唐庼铭》、《轩辕皇帝铸鼎铭》,及季康所书之《唐溪铭》,元结(字次山,汝州人)所书之《阳华岩铭》,(铭仿《三体石经》例正书,古文小篆并列),亦与阳冰诸书,同为仅存之唐篆。

吴天发神谶碑

吴禅国山碑

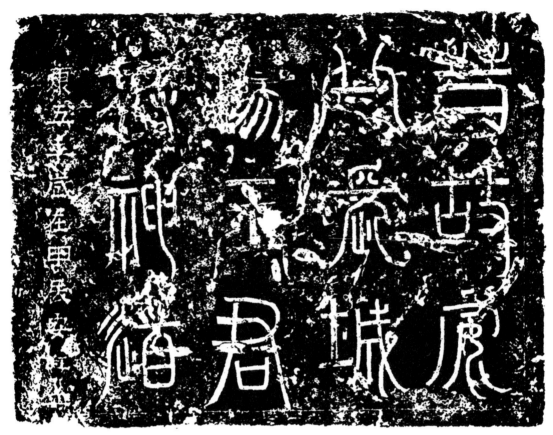

晋安邱长城阳王君神道碑

南唐之际，二徐（铉字鼎臣，锴字楚金，广陵人）继起，工虽不逮阳冰，而学则过之。然鼎臣手摹之《峄山碑》，及楚金手书之《说文篆韵谱》，均已不可得见矣。

赵宋篆书存世者，有《大宋勃兴颂》，及汪藻（字彦章，号浮溪，饶州人）所书"华严岩"三字。赵宋一代，工篆者极众，郭忠恕（字恕光，洛阳人）有《重修五代汉高祖庙碑》、《怀嵩楼记》及《三体阴符》，今皆不可得见，仅《汗简》一书传世。僧梦英有《说文字原》及《千字文》，今仅《千字文》可见，略具少温神理。余如杨桓（字武子，东鲁人）、黄伯思（字长睿，邵武人）、郭安道（保定人）、王寿卿（字鲁翁，陈留人）、李康年（字乐道，江夏人）、杨南仲、章友直（字伯益，建安人）、文勋（字安国）、王洙（字原叔，宋城人）、邵竦（字溪斋，丹阳人）、陈晞、徐兢（字明叔，历阳人）、虞似良（字仲房，余杭人）、张察（字通之，成都人）、魏了翁（字华父，临邛人）诸石刻，今多不存。

金元篆书，惟党怀英（字世杰，冯翊人）所书"杏坛"二字。

明代篆人，以李东阳（字宾之，号西涯，湖南茶陵人）为最著。屠长卿《论明篆人》列李东阳、滕用亨（字用衡，吴人）、程南云（字清轩，南城人）、金湜（字本清，鄞人）、乔宇（字希大，乐平人）、景旸（字伯时，金陵人）、徐霖（字子仁，南京人）、陈淳（字道复，别署白阳山人，长洲人）、王谷祥（字禄之，长洲人）、周天球（字公瑕，长洲人）等十人。此数家篆书，散于缣素，时或一见，然多承宋元之弊，终嫌柔媚有余，古秀不足。至赵宦光（字凡夫，太仓人）创为草篆，盖基于《天玺碑》，而少变其体，然其人好立异说，往往颠倒六谊，论者目为篆学罪人。

篆书至清而大盛，篆人辈出，力追古贤，以康熙朝之王澍（字箬林，号虚舟，别署良常山民，金坛人）为最，篆法谦卦，一时无对。江声（字叔沄，号艮庭，元和人）篆兼石鼓、国山遗意，亦为一代高手。乾隆朝则有洪亮吉（字稚存，阳湖人）、孙星衍（字渊如，又字季述，阳湖人）、钱坫（字献之，号十兰，嘉定人）、桂馥（字冬卉，号云门，一字未谷，别署萧然山外史，曲阜人）并以篆籀称雄，而尤以十兰为杰出，尝以当涂语自刻印曰："斯翁而后，直至小生。"洪孙两家书，颇难甲乙，惟翦毫作书则同，每遇收处，旋转其笔使圆，用墨不重，间有枯笔，盖囿于梦英，遂有此病。嘉庆朝邓琰（字石如，后更字顽伯，别署完白山人，安徽怀宁人）以布衣崛起，执画坛牛耳，篆法出入二李，包世臣《艺舟双楫》推为"神品第一"。钱十兰见山人篆谓："此非少温不能，世间岂有此人。"其倾倒如此。有清一代篆人，多笃守阳冰，至山人而为之一变。康南海《书镜》曰："完白山人之得处，在以隶笔为篆，或者疑其破坏古法，不知商周用刀简，故籀法多尖，后用漆书，故头尾皆

李阳冰书"听松"二字

李阳冰三坟记

李阳冰城隍庙记

圆，汉后用毫，便成方笔，多方矫揉，佐以烧豪，而为瘦健之少温书，何若从容自在，以隶笔为汉篆乎？完白山人未出，天下以秦分为不可作之书，自非好古之士，鲜或能之，完白既出之后，三尺竖僮，仅解操笔，皆能为篆。"其后乃有程荃（字蘅衫，怀宁人）、吴熙载（字让之，亦曰攘之，江苏仪征人）能得完白嫡传。赵之谦（字㧑叔，一字孺卿，号益甫，别署悲庵，又曰无闷，浙江会稽人），得其恣媚，而乏古朴之致。陈潮（字东之，泰兴人），思力颇奇，然如深山野番，犷悍未解人理。道光间，有黄子高（字叔立，番禺人），篆法峻健，逼近斯相。何绍基（字子贞，别署蝯叟，道州人），以平原笔法作篆，圆融茂密，别具风格。至清末，乃有杨沂孙（字子与，号咏春，别署濠叟，常熟人）、泗孙兄弟，从猎碣人手，参以钟鼎款识，自谓历劫不磨。吴大澂（字清卿，别署恪斋，吴县人），平整匀净，凝重简练，中年以后，杂参古籀，别辟蹊径。莫友芝（字子偲，号郘亭，别署眲叟，独山人）学少室石阙，丰厚茂密，不以姿致取容，虽器宇少隘，不愧狷者之美，吴芷舲（字毓庭，号诵清，丹徒人），以汉碑额，汉印篆法，参以开母庙、国山、天发神谶诸碑刻，于邓钱二家外，别立一帜。厥后乃有吴俊（字俊卿，一字昌硕，别署缶翁，又曰苦铁，晚号大聋，安吉人），专攻石鼓，变横为纵，用笔道劲，气息宏深，结体以左右上下参差取势，可谓自出新意，前无古人。近惟萧蜕（字中孚，别字蜕庵，退闇，晚号黯叟，又号本无，常熟人），堪与颉颃，昌硕死，蜕庵遂为近时篆人盟主。

袁滋书轩辕皇帝铸造鼎铭

# 「述 印」

或谓三代无印。案《说文》："印，执政所持信也，从'爪'，从'卩'，会意。爪持卩，以表信也。"段注："凡有官守者，皆曰执政，其所持之卩信曰印。古上下通曰玺。"卩，古节字。古有玉节，玉为之；角节，犀角为之；人节龙节，金为之；符节，竹为之。《周礼·地官·掌节》："货贿用玺节。"注："玺节者，今之印章也。"《淮南子》："鲁君召子贡，授以大将军印。"他如《运斗枢》、《春秋合诚图》、《拾遗录》诸书，言及古代符玺者，不一而足，虽其说有或怪诞，不足置信，然亦不能遂谓邃古之无印。盖不则虞卿所弃，苏秦所佩者，又为何物邪？大抵周秦之先，玺印文字，镌摹古籀，间用正书，拓后成为反文，初非为封检，犹是执以取信之物而已。《史记》："苏秦佩六国相印。"高诱注引《淮南说林训》曰："龟纽之玺，贵者以为佩。注：衣印也。"印而称衣，乃常佩以为饰之意，其用盖又与佩玉等耳。

《周礼·地官·掌节》郑司农笺曰："玺节即印章，如今斗检封矣。"贾公彦曰："汉法，斗检封，其形方，上有检封，其内有书。"案：斗检封，即封书所用之印，形方如斗，上大下小，径方八分，高二分，底内外各四字，朱文。

《尔雅·释名》："玺，徙也。封物使可转徙，而不可发也。印，信也。所以封物为信验也。"（《释书契》）《国语》："鲁襄公在楚，季武子取卞，使季冶追逆而予以玺书。"注："玺，印也。玺书，封书也。"盖古时简椟，均用漆或墨书于竹简或木札之上，以寓书于远，上必施检以禁闭之，而后缄之以绳，填之以黏土，钤印其上，复于检上署所予之人，其事始毕。《淮南子》："若玺之抑埴，正与之正，倾与之倾。"（《齐俗训》）所谓玺之抑埴，即以印印泥也。其用正与今之封蜡（俗名火漆）相同。凡检之平者，泥附于检上，检之剡上者，则刻印齿以容泥，其不止一札者，则为囊以盛之，而约绳封印于囊外。

泥法，据蔡邕《独断》谓："皇帝六玺，玉螭虎纽，皆以武都紫泥封之。"至官私玺印，亦有用青泥者，惟封禅之玉检，则用水银和金为之，谓之金泥。金泥今不可见。

古佩印

今所传斗检封仅此一种，上鼓铸为职四字，在底之内，已抑之泥，故其文正，下官律所平四字，在底之外，原印未抑，故其文反。

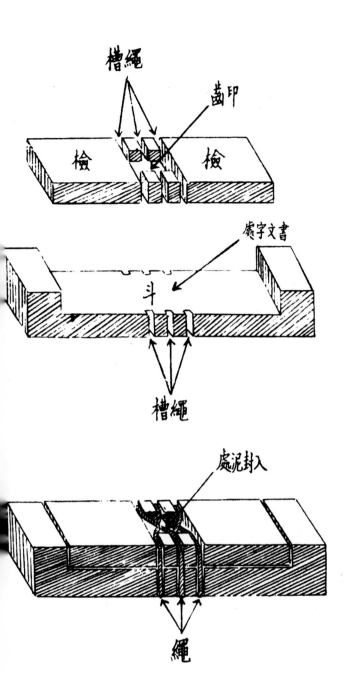

封泥

绳迹

封泥于前清道光初叶，始于四川出土，其后山东临淄，亦多所发见，泥色大都青紫。

封泥之面为印文，背有板痕或绳迹，其形或为正方，或为不规则之圆形。正方者，封检之泥也。其底平而有纵行之木理，盖检端印齿作方形，故所填之泥亦正方，而厚薄如一。其施于竹简囊札之外者，则多为圆形，其泥底亦凹入而无木理。亦有

上下两端之泥坟起，而其上有指纹者，是盖钤印时阑以指也。缄检之绳细而圆，缄囊之绳宽而扁，故缄检之封泥，背有绳纹三匝，各不相紊。缄囊之封泥，背上绳纹不一，而无定例。

由上所述，三代之印，统称曰玺，或曰玺节，有以为执信持佩者，有以为通商旅货贿者，其施于封书者，方为后世玺印之所自昉耳。

# 一、官 印

三代玺印，大者数寸，小者才至累黍，自天子以至庶人，所佩所执，皆得称玺，质之金玉，纽之龙虎，亦各惟其所好。迨至嬴秦立国，始有定制，故论官印，必当断自嬴秦。

## （一）秦 印

秦制唯天子诸侯得称玺。汉《旧仪》曰："秦以前，民皆以金银铜犀象为方寸玺，各服所好。秦以来时，天子独称玺，又以玉，群臣莫敢用也。"（玺亦作鉩钵坏，以玉为之则作玺，以金为之则作鉩，至玺坏则从玉省也）臣下称印或曰章。然秦官印亦往往有称玺者，如左举邦"𩵋"、右司马钵及司马之钵等，察其体制，显为秦印，是秦时臣下之印，亦得称玺，不过以金为之，以别于天子之玺耳。

秦官印字数无定则，多为白文，而界以"口"、"田"、"囗"为阑，文用斯篆，兼及古籀，故多纤细，亦有不可辨识者。间有文作五字者，则酌取二字为合文。秦官印有作长方形者，谓之半通印，适当方印之半。《扬子法言》曰："五两之纶，半通之印皆有秩。"《后汉书·仲长统传》："身无半通青纶之命。"注："《十三州志》曰：有秩啬夫，得假半章印。"盖啬夫职卑，不得用径寸方印也。此实为后世以印材大小，别官秩尊卑之滥觞。

亦有一字印，作者"𣏾"、"𠆥"、"𣏾"、"𣏾"者，皆玺字之变体，亦犹今俗用之谨封护封印，不着姓名官秩，此古人之质直处也。

秦官印

五字印　　　　　　　半通印　　　　　　　　　　一字印

## （二）汉 印

汉制：皇帝，玉玺，虎纽；皇后，金玺，虎纽；诸侯王，黄金玺，橐驼纽；皇太子、列侯、丞相、太尉与三公，前后左右将军，黄金印，龟纽；中二千石，银印，龟纽；千石、六百石、四百石至二百石以上，铜印，鼻纽；诸侯王得称玺；列侯、乡亭侯、将军部属、郡邑令长皆称印；列将军称章。

《文献通考》："御史大夫，银印青绶。凡吏秩比二千石以上，皆银印青绶。光禄大夫，无秩，比六百石以上，皆铜印墨绶。大夫、博士、御史、谒者郎，无秩，仆射、御史、治书、尚符玺者，比二百石以上，皆铜印黄绶。"

武帝太初元年，为汉以土德王，土数五，故定印文为五字，其不足五字者，加之字，或印下加章字足之。

建武元年，复设玺印诸侯王，金玺綟绶，（綟一作盭，草名，出琅邪平昌县，似艾，可以染绿，因以名绶。一云可以染黄）公侯，金印紫绶（即金紫所由名）。九卿、执金吾、河南尹、大长秋、将作大匠、度辽诸将军、郡太守、国傅相、校尉、中郎将、诸郡都尉、诸国行相、中尉、内史、中护军、司直，秩皆二千石以上，皆银印青绶。中外官尚书令、御史中丞、治书、侍御史、公、将军长史、中二千石丞、正平诸司马、宫中王家仆、雒阳令，秩皆千石；尚书中谒者、黄门冗从、四仆射、都郡监、中外诸郡官令、都侯、司农部丞、郡国长吏、丞、侯、司马、千人、家令、侍仆，秩皆六百石；雒阳市长、主家长，秩皆四百石，以上皆铜印墨绶。诸曹长、揖擢丞，秩三百石；诸秩千石者，其丞尉皆秩四百石；秩六百石者，其丞尉三百石；四百石者，其丞尉二百石；县国丞尉亦如之。县国三百石长，丞尉亦二百石，明堂、灵台丞诸陵校长，秩二百石丞、尉、校长，以上皆铜印黄绶，县国守宫令相，或千石或六百石长，或四百石或三百石长，皆铜印黄绶。

汉印有铸凿两种。汉制：千石以下以至庶人，铸凿兼用。吾丘衍《学古编》曰："朝爵印文皆铸，盖择日封拜，可缓者也。军中印文多凿，急于行令，不可缓者也。"汉凿印之稍为平正者，近世或以为刻印。案：军中凿印，官重者，两凿成文，官卑者，尽一凿，是平正之凿印，实两凿成文者耳。

汉制：虚爵者，填其印文以金或银，故不能钤用。古印往往有填金银者，即此类也。

铸印

凿印

## （三）魏晋六朝印

魏黄初三年初制：封王之庶子为乡公，嗣王庶子为乡侯，公之庶子为亭伯。其后定制：凡国王、公、侯、伯、子、男六等，次县，次乡，次亭侯，次关内侯。又置名号侯，爵十八级；关中侯，爵十七级；皆金印紫绶。关外侯，爵十六级，铜印龟纽。五大夫，十五级，铜印环纽。印文大都为四字，将军印加章字，蛮夷印不拘字数。

晋制：王，金玺，龟纽，细纁朱绶。皇太子，金玺，龟纽，朱黄绶，四采，赤黄缥绀。贵人、夫人、贵嫔，是为三夫人，皆金章紫绶。文曰：贵人、夫人、贵嫔之章。淑妃、淑媛、淑仪、修华、修容、修仪、婕妤、容华、克华，是为九嫔，皆银印青绶。郡公、县公、县侯、大夫夫人，银印青绶。公车司马令，铜印墨绶。通德殿太监、尚衣、尚食太监，皆银章艾绶。印文与魏印同。

宋制：皇太子，金玺，龟纽，朱绶。皇太子妃，及诸王，金玺，龟纽，缓朱绶。郡公，金章，紫绶。太宰、太傅、太保、丞相、司徒、司空，金章，紫绶。相国，绿綟绶。大司马、大将军、太尉，凡将军位从公者，金章，紫绶。郡诸侯，金章，青朱绶。骠骑、车骑以下诸将军，并金章，紫绶。诸王嗣子，金印，紫绶。郡公侯嗣子，银印，青绶。尚书令、仆射、中书令监、秘书监，铜印，墨绶。光禄大夫、太子詹事、左右卫以下诸将军，银章，青绶。诸校尉中郎将，银印，青绶。县乡亭侯，金印，紫绶。鹰扬、伏波以下诸将军，银章，青绶。诸都尉、校尉、中尉，银印，青绶。州、郡史，铜印，墨绶。御史中丞、都水使者，银印，墨绶。诸军司马，银章，青绶。匈奴、护羌诸校尉，铜印，青绶。尚书左右丞、秘书丞，铜印，黄绶。

齐制：乘舆六玺，以金为之，并依秦汉之制。皇太子、诸王，金玺，皆龟纽，纁朱绶。公侯五等，金章、郡太守、内史、四品、五品将军，皆银章，青绶。尚书令、仆射，至诸州刺史，皆铜印。

梁制：乘舆印玺，及皇太子、诸王、五等国，并略如齐。乡亭、关内、关中及名号侯、诸王嗣子，金印，龟纽，紫绶。关外侯，银印，珪纽，青绶。大司马、大将军、太尉诸位从公者，金章，龟纽，紫绶。尚书令、仆射、尚书、中书监令、秘书监，铜印，墨绶。左右光禄大夫，加金章，紫绶，同其位。太仆廷以下诸卿，丹阳尹，银章，龟纽，

青绶。诸将军，金章，紫绶。中郎将，青绶。郡国太守、相、内史，银章，龟纽，青绶。诸县署令、秩千石者，州郡大中正、郡中正，铜印，环纽，墨绶。公府令史亦同。诸县尉，铜印，环纽，单衣，黄绶。

陈制：天子六玺，并依旧式。皇帝行玺、皇帝之玺、皇帝信玺，白玉为之，方一寸二分，螭兽纽。天子行玺、天子之玺、天子信玺，并黄金为之，方一寸二分，螭兽纽。皇太子玺，黄金为之，方一寸，龟纽。诸侯印绶，二品以上，并金章，紫绶。三品，银章，青绶。（三品以上凡是五省官及中侍中省官，皆为印而不为章）四品得印者，银印，青绶。五品、六品得印者，铜印，墨绶。（四品以下凡是开国子男及五等散品名号侯，皆为银章不为印）七品、八品、九品得印者，铜印，黄绶。金银章印，及铜印，并方一寸，皆龟纽。四方诸藩国王之章，上藩用金，下藩用银，并方寸，龟纽。佐官，惟公府长史、尚书二丞给印绶。六品以下九品以上，惟当曹为官长者给印，余自非长官，虽位尊不给印。隋制同。

北朝印制渐紊，文字亦日就乖讹，每多妄为增损。左举龙骧将军一印，为东魏时物，印式几大过汉魏印之半，而龙增马傍作骜，以求比称，章作"〓""〓"，不成文理。即有未乖六谊者，亦多率意刻画，无复汉魏铸凿之挺拔风度矣。

## （四）唐 印

唐制：天子有传国玺及八玺，皆以玉为之。八玺者，神玺、受命玺、皇帝行玺、皇帝之玺、皇帝信玺、天子行玺、天子之玺、天子信玺。大朝会，则符玺郎进神玺、受命玺于御坐。至武后，以玺音近死，改诸玺皆为宝。中宗即位，复为玺。开元六年，复为宝。天宝初，改玺书为宝书。十年，改传国宝为承天大宝。太皇太后、皇太后、皇后、皇太子及妃玺，皆金为之，藏不用。太皇太后、皇太后封令书，以宫官印。皇后，以内侍省印。皇太子，以左春坊印。妃，以内坊印。天子巡幸，则京师东都留守，给留守印，诸司之从行者，给行从印。

北朝印

唐官印皆以铜为之，其文承六朝之后，更作屈曲摺叠之状，逾趋纤巧，印亦愈大，印文用九叠篆（又名上方大篆，传为程邈所作），自后以迄明清，无不承之。近人沙孟海曰："九叠文不尽九叠，如勾当公事印用七叠（愚案：明历日印亦七叠，取日月五星七政义也。），承受差委吏印仅六叠，都统之印，万户之印，乃有十叠，又如行军都统之印等，则叠数不等，名曰九叠者，以九为数之终，言其多也。叠数多寡之故，大抵因印文多寡而为增损，或因时代不同，而所铸各殊，或如三代尚数。各有定仪，明九叠篆印，取乾元用九之义，八叠篆印，取唐台仪八印之义是也。"（《印学概论》）

唐印有称朱记者，以唐时印色非一，称朱记所以别于他色也。其印多为长方，不用篆文，盖非颁自朝庭，乃自造私记也。案：凡朱记方一寸，铜重十四两，有直柄而薄。见《金史·百官志》。

## （五）宋 印

宋制：天子用玺，称宝。以玉为之，篆文，广四寸九分，厚一寸二分，填以金，盘龙纽。禁中所用别有三印，曰：天下合同之印，御前之印，书诏之印，皆铸以金，又以输（即今紫铜）、石各铸其一。雍熙三年，并改为宝。明道二年，易以银，而涂黄金。崇宁五年，作镇国宝，以银为之，方四寸有奇。螭纽方盘，上圆下方。大观元年，作受命宝，琢以白玉，篆以虫鱼，方四寸有奇，诏镇国、受命二宝，合天子皇帝六玺为八宝。太皇太后玉宝，方四寸九分，厚一寸二分，龙纽。皇太后、皇太妃，皆金宝。皇后金宝，方一寸五分，厚一寸。皇太子金宝，方一寸，龟纽。贵妃金印，龟纽。

宋因唐制，诸司皆用铜印，诸王及中书门下印，方二寸一分。枢密宣徽三司、尚书省、开封府诸司印，方二寸。惟尚书省印不涂金，余皆涂金。节度使印，方一寸九分，涂金。节度观察、留后观察使印，方寸八分半。防御、团练使、转运、州、县印，方寸八分。印文亦延用九叠篆，支离乖舛，莫可究诘。

又有朱记，以给京城及外处职司及诸军校等，其制：长一寸七分，广一寸六分。亦以铜为之。

## （六）金元印

辽金玉宝，太宗破晋北归，得于汴宫。穆宗应历二年，诏用太宗旧宝。熙宗皇统五年，始铸金御前之宝，诏书之宝。世宗大定十八年，制金受命宝，径四寸八分，厚一寸四分，盘龙纽，纽高厚各四寸六分半。二十三年三月，铸宣命之宝，金玉各一，径四寸二厘，厚一寸四分，纽高一寸九分，字深二分。

臣下印：吏部兵部皆银铸，契丹枢密院诸行军部署，汉人枢密院，中书省诸行宫都部署用银印，文不过六字，以银殊为色。南北王以下内外百司印，皆用铜，以黄丹为色。诸税务，以赤石为色。

正隆元年，始定制命礼部更铸，三师、三公、亲王、尚书令，金印，方二寸，重八十两，驼纽。一字王印，方一寸七分半，金镀银，重四十两。三字诸郡王印，方一寸六分半，金镀银，重三十五两。三字国公一品印，方一寸六分半，金镀银，重三十五两。三字二品印，方一寸六分，金镀银，重二十六两。东宫三师宰执与郡王同。三品印，方一寸五分半，重二十四两。四品印，方一寸五分，重二十四两。六品印，方一寸三分，重十六两。七品印，方一寸二分，重十六两。八品印，方一寸一分半，重十四两。九品印，方一寸一分，重十四两。并铜印。朱记，方一寸，铜，重十四两。

元至元元年七月，定御宝制：凡宣命，一品二品用玉，三品至五品用金。又元宗室驸马，通称诸王，初制简朴，位号无称，惟视印章以为轻重，如旧封一字王者，金印，兽纽。二字王者，金印，螭纽。次为金印驼纽，金镀银驼纽，龟纽，有止用银印龟纽者，其等级不同如此。

臣下印：一品衙门，用三台金印。二品三品，用二台银印。其余大小衙门印，虽大小不同，皆用铜。其印文皆用八思麻帝师所制蒙古字书。印大有至今尺二三寸者。

## （七）明　印

明制：玉玺、王府之宝，用玉箸文。内阁印，用玉箸文，银印，直纽，方一寸七分，厚六分。将军印，用柳叶文，征西、镇朔、平羌、平蛮等将军印，用螭鼎文，皆银印，虎纽，方三寸三分，厚九分。余俱用九叠篆，铜印，直纽。监察御史，用八叠篆，铜印，直纽，有眼，方一寸五分，厚三分。其品级之大小，皆以分寸别之。正一品，银印三台，方三寸四分，厚一寸。正二品，银印二台，方三寸二分，厚八分。衍圣公等正二品及从二品，银印二台，方三寸一分，厚七分。正三品，银印，方二寸九分，厚六分五厘。在外各按察司各卫正三品及从三品，铜印，方二寸七分，或二寸六分，厚六分，或五分五厘。正四从四，俱铜印，方二寸五分，厚五分。正五从五，铜印，方二寸四分，厚四分五厘，或方二寸三分，厚四分。正六从六，铜印，方二寸二分，厚三分五厘。正七从七，铜印，方二寸一分，厚三分。正八从八，铜印，方二寸，厚二分五厘。正九从九，铜印，方一寸九分，厚二分二厘。未入流，铜条记，广一寸三分，长二寸五分，厚二分一厘。自正三品以下，皆直纽，九叠篆。

其他文臣，有领敕而权重者，用铜关防，直纽，广一寸九分五厘，长二寸九分，厚三分，九叠篆，虽宰相行边，与部曹无异。又内官用牙关防，曾见善斋吉金录，为御前钦赐。案：《明史·舆服志》：嘉靖中，顾鼎臣居守，用牙镂关防。则不必定内官，始用牙关防矣。又案：明刘辰国《初事略》载太祖因部臣及布政使，用预印空纸作奸事发，议用半印勘合，行移关防。是关防本半印，略同汉之半通印，后不勘合，犹沿其制作长方形耳。

### （八）清 印

清制：皇帝用玉玺，称玉宝，用玉箸篆。后妃，金宝。亲王，金宝，龟纽。郡王饰金银印，麒麟纽。属国王，饰金银印，驼纽。公侯伯，银印，虎纽。衍圣公、宗人府，银印，直纽。经略大臣、大将军、将军、领侍卫、内大臣，俱银印，虎纽。办理军械事务处，六部，俱银印，直纽。印文，文职首尚方大篆，次小篆，次钟鼎篆，次垂露篆。武职，首柳叶篆，次殳篆，次悬针篆。俱副以满洲文，（当时名曰国书）以职之崇卑为等差，印边尤较宋元为宽。方者曰印，长方者曰关防（《野获编》日本朝印记，凡为祖宗朝所设者俱方印，后因事添设则赐关防），曰条记，曰图记，曰钤记。

# 二、私 印

印，所以昭信。历代官印，各有制度，以别官阶，示爵秩。私印虽为庶人所通用，亦各有其一定之格律，盖否则不能一其用，示其信，不独遗讥杜撰已也。

## （一）姓名印

古人用印，多仅刻姓名，或加"印"字，或加"之印"，而不用杂字，盖所以昭郑重也。其文：一名曰，姓某，曰姓某印，或姓某之印。二名，则曰，姓某某，或姓某某印。

或有易印为章者，或有并用印章二字者。章及印章，古惟施之官印，然苟布局得当，正不必拘泥成说也。

亦有印上加"信"作"信印"，或印下加"信"作"印信"者，以一名为多。

有印上加"唯"字，作"唯印"者，有单用"唯"字者，多仅表里邑。如上所举孝义、乐成、钜里皆里名也。或为里邑守者，专用于文移之印。案《说文》："唯，吓也。除诺应对也。"里邑长，略同今之保正里甲，其秩甚卑，印加唯字，正所以示其秩之卑下，然未见载籍，未由确定。其姓名下作唯印者，或示无他印，或示谦下，当无他意。

有名印而附以所受官爵者，然不多见。

有作姓印某，或姓印某某者，为回文印，取双名不相隔离之意。盖回文读之仍为姓某印，或姓某某印也。回文印，不可着之字。《七修类稿》曰："陆友仁得古印曰：陆定之印，因名其子曰定之。倪迂赠诗，有辨文曰定之之句，此应是回文，否则姓陆名定，非定之矣。"

有印上加私字作私印者，文曰姓某私印，系用于私书封记，所以示有别于官印也。双名无作私印者，私印亦不得作回文。

姓名印以白文为正格，惟秦汉印，间有作朱文者。

汉姓名印，有用鱼鸟虫篆者，以玉印为多，其文奇倔可喜，后世无能为之继者。

秦白文姓名印，无不用"囗"、"田"、"田"等界画，盖犹承官印法则也。文字多用斯篆，间采古籀。其用古籀文者，十九不易辨认，与古私玺无甚差别，故后世通称之为周秦古籀，盖未识文字，无由分别也。

秦印

汉印

## （二）字 印

字，即表字，字印，旧名表德印。汉人多一名，其三字印，非复姓，及无印字者，皆非名印，盖字印不当用印字以乱名也。

字印亦有加姓其上，作姓某某，或加字其上，作字某某者，大抵为两面印。字印至唐宋以后，始以朱文二字为正格，然亦有姓下更加"氏"字，作某氏某某，如"赵氏子昂"等，应作回文读之。至字下加"氏"或"父"字，作某某氏，某某父者，则皆明清之际所造作。案父，与"甫"通，男子之美称也。字下加"父"，则是自美矣。故字印作某某氏则可，作某某父则不可。

有一面刻姓名，一面刻臣某，或妾某者。案：男子称臣，女子称妾，皆卑辞。古人相与语，亦多自称臣，如《史记》述吕公言："臣少好相人。"述朱家言"迹且至臣家"，非必对君始称臣也。近有作贱子某某者，亦此意。

## （三）多面印

古单面印，大都仅刻姓名，或以姓名表字合于一印。表字印，大都于多面印，或子母印（亦名套印）中见之。古多两面印，一面刻姓名，一面刻姓字，亦有一面刻姓，一面刻名者。

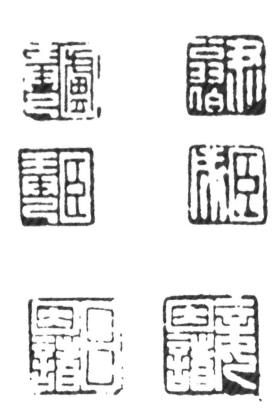

有一面刻姓名,一面刻吉语者。

有一面刻姓名,一面刻鸟兽虫鱼形或刀画痕,并无文字者,盖示人以止也。

此外有一印五面或六面皆刻文字者,不甚多见。其文皆用凿。五面印,惟秦时私玺有之,大抵皆为吉祥文字。六面印,则盛行于魏晋六朝之际,姓名氏籍持信封记尽在于是,盖一印而其用毕备,此为后之套印所自昉。

汉私印亦有半通者,十九于姓名之上或下,附以吉祥文字,如大利某某、某某大利等,其仅表姓名者,则不多见。

亦有两面刻吉语者,有两面刻鸟兽虫鱼形,或刀画痕者,有一面刻吉语一面刻鸟兽虫鱼形,或刀画痕者。

### （四）朱白相间印

汉印有半朱半白者，有朱白相间者，又有一朱二白，二朱一白，一朱三白，三朱一白，二朱二白，及上下分朱白者。大抵笔画少者，则以朱文间之，其二字笔画一繁一简者，则取简者朱之，繁者白之，朱白之间，各适其宜，不可强合。凡此，并以两面印为多。

### （五）肖形印

古肖形印有二类：一为纯图画象形者，一为图画中附有文字者。纯图画象形者，有龙、凤、虎、兕、犬、马以及人物、鱼、鸟，飞潜动静，各各不同，莫不浑厚沉雄，专以古朴取胜，虽其时代未可确断，要为三代古物无疑。陈簠斋曰："圆肖形印，非夏即商。"是也。肖形印多白文，其图画凹下之处，常有细纹突起，盖便施于封泥之用者也。

附有文字之肖形印，以汉印为多，中刻姓名，四周附以龙、虎或四灵等，后人因谓之四灵印。亦有刻象形图案以代其本字者，在汉印中别具一格。

## （六）署押印

署押，俗称花押，盖古人画诺之遗。六朝人有凤尾书，亦曰花书，后人以之人印，至宋而盛行。周密《癸辛杂识》云："古人押字，谓之花押印，是用名字稍花之，如韦陟'五朵云'是也。"

元代署押印，多作长方形，有上刻真书姓字，下刻署押者，亦有参以蒙古文（即元代国书），或以蒙古文代押，或上蒙古文，下著署押者，俗统谓之元押。

有一印中剖为二，如古代符节者，曰合同印。亦用蒙古文，大抵为分执示信，以为验合之用。

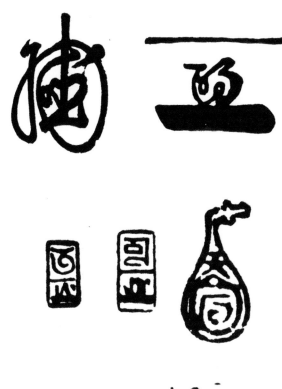

## （七）书简印

秦汉书简印，内外通用一名印而已。即官府传檄文移，内外亦止一印，盖所以示信也。汉魏之际，有作某某启事、白事、白疏、白笺、言疏、言事等，多见于六面印及套印中。更有作长篇韵语者，如："姓某私记，宜，身至前，迫（古白字）事无间，唯君自发，印信封完"等，亦有仅作"封完"、"白记"等字者，则多与姓名印并用。今人仿制"顿首"、"副启"、"再拜"、"慎余"、"谨封"、"护封"等二字印，且有并用于一书者，殊俚俗可笑。

## （八）斋馆别号印

唐李泌有"端居室"三字印，相传为斋馆印之鼻祖。至宋世，几人人有斋馆别号，且必制印为记：苏洵有"老泉山人"印，苏轼有"东坡居士"印，王铣有"宝绘堂"印，米芾有"宝晋斋"印，姜夔有"白石生"印，皆是也。

元明以来，此类印章益多，长洲文氏尤为之不厌，甚至本无斋馆，寄兴牙石。文氏尝自谓："我之书屋，多于印上起造。"读之堪发一笑。

## （九）收藏鉴赏印

收藏鉴赏印，兴于唐而盛于宋。唐太宗之"贞观"二字连珠印，玄宗之"开元"二字连珠印，皆用于御藏书画，其滥觞也。其后南唐李后主有"建业文房"之印，宋太祖有"秘阁图书"之印，至徽宗之"宣和"诸印，金章宗之"明昌"七印，尤为著录家所艳称。其在臣下，则有东坡居士之"赵郡苏轼图籍"，米芾之"米氏审定真迹"等印，不可殚记。惟原印及钤本，流传至少，仅于书画缣素间，偶一见之耳。

收藏鉴赏印，缕析之，约可分为三类：收藏类：收藏、考藏、珍藏、鉴藏、藏书、藏画、珍玩、秘玩、秘极、珍秘、图书等；鉴赏类：鉴赏、珍赏、清赏、心赏、阅过、曾阅、读过、曾读、过目、过眼、经眼、眼福等；校订类：校订、考订、审定、鉴定等。

亦有引成语如："子孙保之"、"子孙永保"等者，有作告诫语如："鬻及借书为不孝"等者，更有作祈愿之辞，如："姓某某，愿此书永无水火虫食之灾"等者，不可枚举。

## （十）吉语印

古代多吉语印，如秦有小玺作："灾疾除，永康体，万寿富。"汉有金印作："建明德，子千亿，保万年，治无极。"皆吉祥语也。《汉书·王莽传》载三印曰："维祉冠，存已夏，处南山，藏薄水。"曰："肃圣宝继。"曰："德封昌图。"又清桂馥札璞曰："汉印有：申祐庆，永福昌，宜子孙。又有：永祐庆，长寿康。又有古铜印文作：□子鱼印，承天德，获休祉，永安宁，传无极。"皆其滥觞。

汉两面印尤多作吉祥语者，如"日利"、"大利"、"长幸"、"大幸"、"长乐"、"长富"等，又如"宜官内财"、"日入千石"、"日利千万"、"宜官秩长乐吉贵有日"等。亦有姓名上下加附吉语者，胥不出利禄而外。

秦有"明上"、"敬事"、"高志"，汉有"思言"、"敬事"等印，皆寓自警之词，略同后之坐右铭，为后世成语印之权舆。

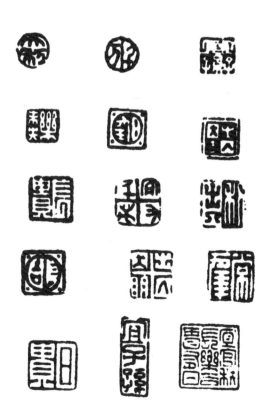

## （十一）成语印

　　成语印，盛行于宋元之际，传贾似道有"贤者而后乐此"一印，自后相习成风。洎夫明清，此风益炽。明何雪渔，好以《世说新语》入印。亦有用牢骚语、风月语、佛道家语入印者。文衡山生于明宁宗成化六年庚寅，刻离骚语入印曰："惟庚寅吾以降。"后文嘉效之，刻印曰："肇锡余以嘉名。"文彭复效之，自刻印曰："窃比于我老彭。"皆令人忍俊不禁者也。至如周亮工（栎园）之："我在青州，做一领布衫，重七斤半。"又曰，"军汉出家。"武虚谷园杖京营步军统领番后罢官，遂刻一印曰："打番儿汉。"则愈出愈奇矣。案：取成语入印，虽属一时游戏，要当求其隽永笃雅，不能信手臆造，曾见有人以生于甲子，遂效衡山骚语印，刻作"惟甲子吾以降"者，不学无术，徒为识者所笑耳。

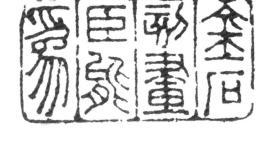

## （十二）厌胜印

厌胜印，为佩印之用以辟邪者，故亦名辟邪印。秦印有作"龙蛇辟邪"四字者是也。

晋葛洪《抱朴子》曰："古之人入山者，皆佩黄神越章之印，其广四寸，其字一百二十，以封泥著所住之四方各百步，则虎狼不敢近其内也。若有山川社庙，血食恶神，能作祸福者，以印封泥，断其道路，则不复能神矣。"（《登陟篇》）今所见黄神越章，最多不过九字，作"黄神越章天帝神之印"。无作百二十字者，然其为厌胜之用，则可据以为信。其他有作："天帝使者"、"天皇上帝"、"天帝杀鬼之印"等等者，其用一也。

新莽时有刚卯之制，以正月卯日作，长一寸，广五分，大者长三寸，广一寸，用玉，或金，或桃，四方，中有穿（穿即孔，凡碑上圆孔及印纽左右穿带之孔，皆曰穿），著革带佩之。其文曰："正月刚卯既央，灵殳四方，赤青白黄，四色是当，帝令祝融，以教夔龙，庶疫刚瘅，莫我敢当。"别作严卯，其文曰："疾日严卯，帝令夔化，顺尔固伏，化兹灵殳，既正既直，既觚既方，庶疫刚瘅，莫我敢当。"莽废刘兴王，以刘为卯金刀，故作此以为厌胜，此殆后世厌胜佩印之所自昉欤！

## 三、印 式

历代印式大致方条两种，亦间有作圆形及椭圆形者，惟周秦古玺，则颇多异式。

后人有创为葫芦、连环、琴、鼎、竹叶及钱币、禽兽等式者，不可枚举。虽非古制，然苟能挖雅去俗，布置得宜，亦未始不足观赏也。

两面印多汉魏间物，秦印亦偶一见之。印厚不过一二分，中有穿，以便系绶，故亦名穿带印。

五面六面印见前节，五面印，刻印文于正面及四周，六面印，则别一面刻于纽顶，故较小。

连珠印，起于周秦之际，惟仅三连珠四连珠两种。

二连珠印，始于唐代，取长方印界而为二，分刻姓名表字，亦有作椭圆式者。

子母印，兴于汉，盛于六朝。制印而空其中，纳小印其内，如屉。外者为母，内者为子。多作深细朱文，母印作某某印信，子印则刻姓名或表字。

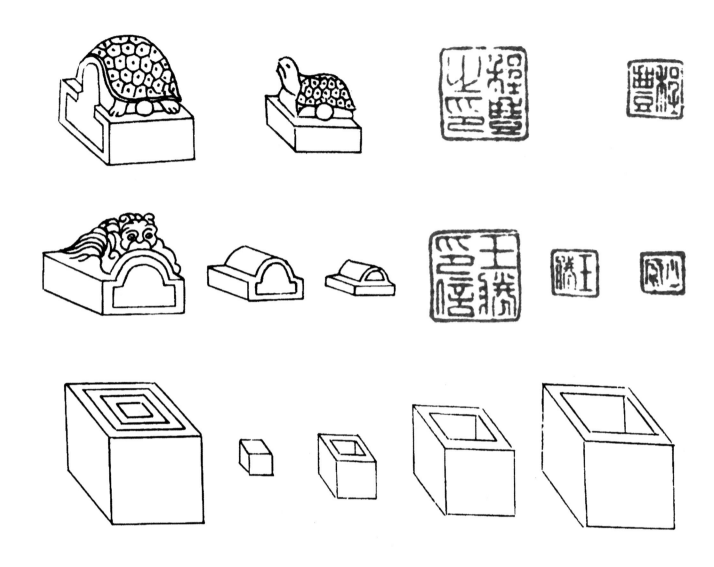

母印纽作母兽，则子印作子兽，套成如母抱子状。亦有母印纽作兽身，子印纽作兽首，套合而成完兽者，故一名套印。传世者，有双套印（即一母一子），三套印（即一母二子），四套印（即一母三子），四套印不多见。

后世套印，有不用纽者。制大方印，空其中，依次纳大小方印其内，最末为一等边小方印。有三套、四套、五六套不等。最小之方印刻六面，余皆刻五面。

带勾印之制甚古，以附于带勾故名，多秦汉间物。长者尺许，短亦数寸，印文颇小，多作圆形。

古印有极大者，其上多附直纽，就印文以观，意为烙马，或钤于糜粟之用，大都以铁为之。

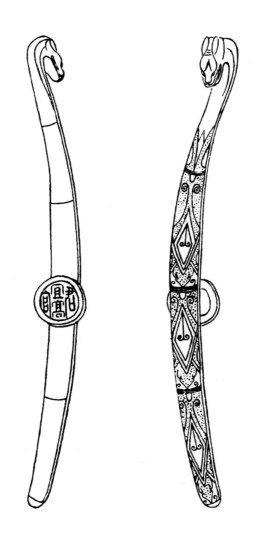

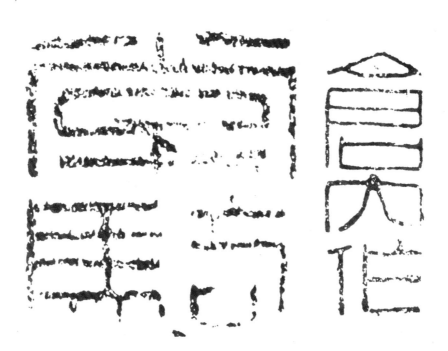

# 四、印纽

印之有纽，犹器之有盖，碑之有额，浮屠之有尖，亭榭楼台屋宇之有顶脊鸱薨也。制虽不同，其所以装整修饰而适于用则一。纽之种类，可分器具及禽兽虫鱼等若干种。最简者，为覆斗，为直纽，为瓦，为鼻，为桥，为环。繁冗者，为天禄辟邪，为螭，为龙，为龟，为驼，为虎。三代古玺多为坛纽、台纽及螭、虎等纽。秦汉以下官印，多因纽之制作，以别其爵秩，具详前节，私印则各惟所好，并无定制。此外有盘龙纽，两面均作盘龙形。有泉纽，或两面皆泉范，或两面围列小五铢泉，中缀吉语者，亦有两面并环列小篆者，印甚小，纽大倍之，或竟数倍，大抵皆汉代制作。至后世制纽，更多异式，如狮象及生肖等，其制作精美者，亦足宝贵，不必以其非古而轻之也。

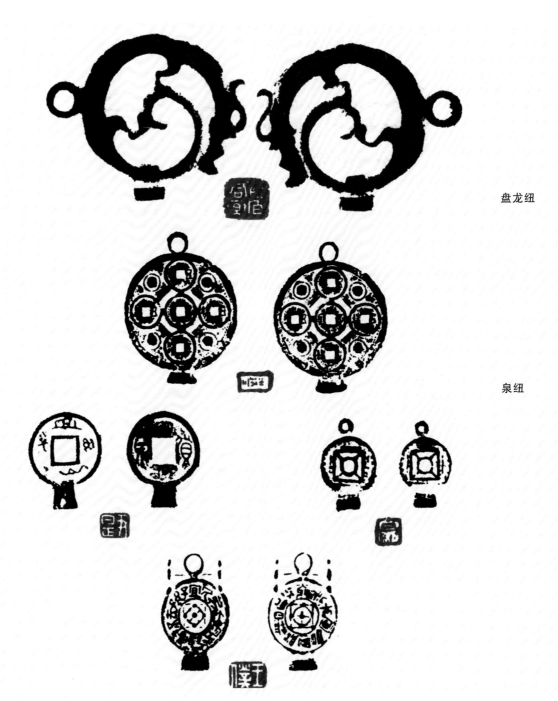

盘龙纽

泉纽

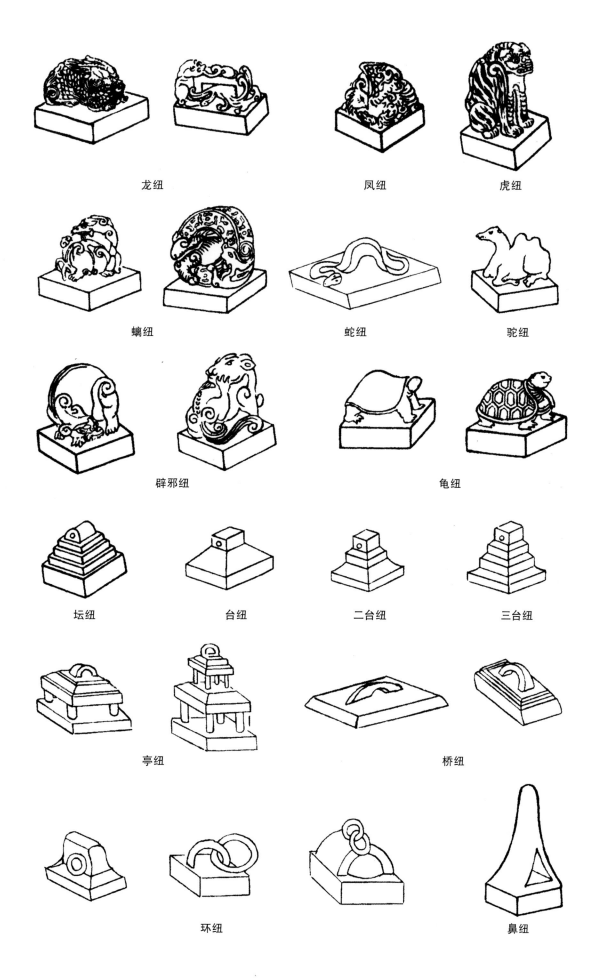

龙纽　　　　　凤纽　　　　　虎纽

螭纽　　　　蛇纽　　　　驼纽

辟邪纽　　　　　　龟纽

坛纽　　　　台纽　　　二台纽　　　三台纽

亭纽　　　　　　桥纽

环纽　　　　　　　　　　鼻纽

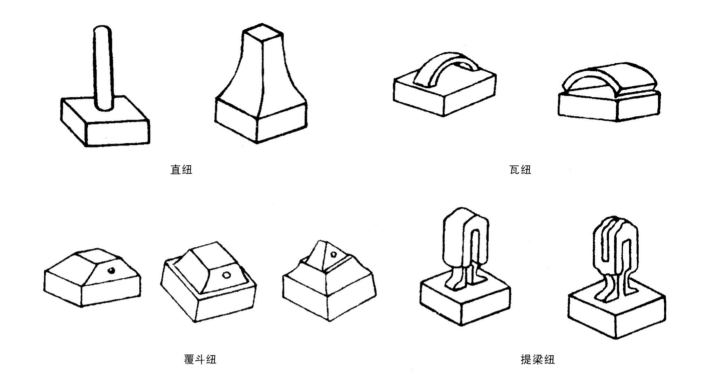

直纽　　　　　　　　　　　　　　瓦纽

覆斗纽　　　　　　　　　　　　　提梁纽

　　元明以后，印材除金玉外，并采瓷石。至有清一代，石印大盛，封印纽亦踵事增华，于是制纽名家辈出。康熙间，有周彬（字尚均）、杨璿（字玉璇），周制纽署款作分书"尚均"二字，杨制纽署款作真书"璿"字，周为康熙御工，与杨同为闽人。雍正间，有奕天，乾隆间，有名鉴者，俱佚其姓。嘉道间，则有王定（字文安，无锡人）、蒋列卿（毘陵人）及其弟子张日中（字鹤千，毘陵人）、沈松年（字季申，平湖人）、杨褒（字圣荣，号古林，嘉定人）、张溶（字镜心，号石泉，娄县人）、徐汉、马文。光绪间，有林茂玉、林元珠等，并以制纽名。杨制今邈不可见，周制亦如凤毛麟角，仅王文安、张鹤千手迹，偶有所见，得者亦已珍同珙璧。至其他诸家，大都不勒款识，即有所遘，亦仅能欣赏其制作之精美，不能断其出于某氏之手矣。石之佳者，多不斫纽，恐伤其才也。必不得已，始以纽掩其瑕。良工制纽，因材而施，圆

头宜兽纽，平头宜博古纽。今之庸工，不解审择，信手而斫，无石不纽，石乃抱泣，欲求弃置湮埋于山下而不可得，真石灾也已！

　　制纽而外，尚有云及锦袱两种，施于圆顶方顶之印最宜。石印之有方圆顶者，因佳石不遇良工，不忍多耗及石，而仅得庸纽也。顶圆者，因其势雕为峦头，以云断之。方者，薄刻方袱，四裔分垂印之四面，以带束之，袱之表，镂为文锦，垂处作襞积纹。

　　另有薄意一种，专刻于无纽印之四面。薄意云者，薄刻而其有画意之谓。刻作人物、山水、亭榭、云月、花鸟、虫鱼之类，为云峦方锦之变格。坑洞之石，有裂痕者，有含石格者，有红、绿、黄、白、青、赭、黝、黑相间为斑纹者，各因其巧，施以雕镂，掩其疵累，施工宜简不宜繁，简而有韵，不落凡俗，繁则过于装点，近穿凿矣。

# 「別　派」

自秦汉以迄唐宋，印玺之流传于世者，多至不可数计，然从未闻刻者凿者之为谁氏，仅秦受命玺，传为李斯书，孙寿刻，亦未足置信。元吾丘衍《三十五举》第九举曰："秦人大小玉玺，有大小篆、回鸾等文，皆李斯书，孙寿刻。"真凿空之谈。其见于载籍者，魏晋间有陈长文、韦仲将、杨利从、许士宗、宗养等，以工摹印名，外此无闻也。盖当时印玺，大都出于

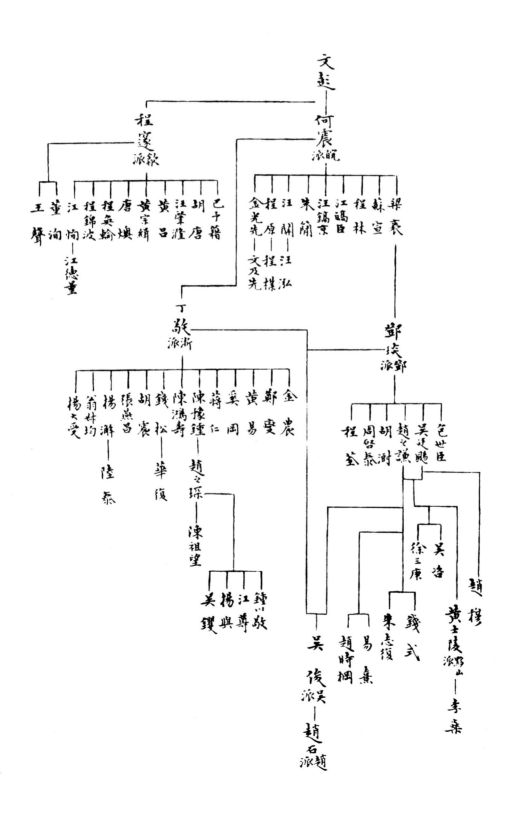

匠师之手，非必文人学士为之，汉印篆法之不合六书义理，不一而足，固无论魏晋矣。至六朝唐宋，篆法衰微，更多任意牵合，不成文理，其为匠手所为可知。至元至正间，吾丘衍、赵孟頫蹶兴，正其款制，于是篆刻一事，遂得跻于文史之林，然尚惟工巧是饬，法意均未完美，不足以言开拓时代宗派也。迨元末，王冕（字元章，会稽人）得浙江处州丽水县，天台宝华山所产花乳石（一名花蕊石，宋代土人曾采作器皿），爱其色斑斓如玳瑁，用以刻为私印，刻画称意，如以纸帛代竹简，从此范金琢玉，专属匠师，而文人学士，无不以研朱弄石为一时雅尚矣。有明正、嘉之际，文彭（字受承，号三桥，长洲人）力肩复古之任，始变宋元旧习，金石刻画，流布海内，靡靡漫漫，畅开风气，犹佛家六祖慧能之建立南宗。由是而皖、浙、邓、歙诸派，后先递兴，作家云起，正统旁支，孳乳不息，故言治印家之有宗派，当自文氏始，自无间言。今为列表于后，以明世系。左表所列，如邓完白之师承梁袠，吴缶庐之缵述丁、赵，赵仲穆之直接攘翁，皆与世论独歧，此则须从大处着眼，能多玩索其印迹，自然会心别具，盖其出入之迹，昭然若揭，明眼人自能体会，固无与于嚣嚣之世论也。至如宋珏（字比玉，自号荔枝仙，莆田人）、吴晋（字平子，莆田人）以八分人印，创为闽派，从之者有练元素（侯官人）、薛居瑄（字宏璧，其先晋江人，后籍侯官）、薛铨（字穆生）父子、许友（字有介，号瓯香，侯官人）、蓝涟（字公漪，侯官人）、上官周（字文佐，长汀人）、郑际唐（字云门，侯官人）、李根（字阿灵，号云谷，闽县人）、林霈（字德澍，号雨苍，又号桃花洞口渔人，晚号舛怦老人，侯官人）等，以为通人所讥，故不录。

依下页表所举，自明迄今，治印家之宗派，可得而名之者凡七曰皖，曰歙，曰浙，曰邓，曰黔山，曰吴，曰赵。兹再分别论列之：

# 一、文 彭

文彭（字寿承，别字三桥，衡山之伯子也，江苏长洲人）治印，力矫元人屈曲乖缪之失，篆法介乎方圆之间，好刻牙印，后世评文氏刻印，谓如："新发于硎，了无古意。"以此。盖牙质韧，多阻力，自不能如石印之可以游刃款款也。兹举文刻三印于后，一、三两印，开浙派之先声；第二印，导邓派之前路，其启后之功，岂可没哉！文氏治石印成，辄就火锻作铁色，石经火，性即顽裂，不复再中刃，盖以杜后人之磨砻重刻也。锻法已失传，近世所传文氏印，十九赝鼎，其石色之黔黑，乃染色为之。

文彭

## 二、皖 派

开皖派者，为三桥高弟何震（字主臣，号雪渔，一号长卿，安徽新安婺源人），浑穆不及三桥，而苍劲过之，广交删缕，遍历边塞，自大将军以下，皆以得一印为荣，篆刻一艺，见重当时，殆无伦比。尝谓"六书不精义入神，而能驱刀如笔，吾不信也"。何籍新安，故世称皖派。得其传者，为梁袠（字千秋，江苏维阳人，有《梁千秋印隽》）、苏宣（字尔宣，一字啸民，号泗水，新安人，有《苏氏印略》四卷）、朱简（字修能，号畸臣，休宁人）、汪镐京（字宗周）、江自高臣（婺源人，善切玉，自谓用刀如划沙，尝云切玉后，石如宿腐不屑为）、程林（字云来，歙县人）、金光先（字一甫，休宁人）、文及先（金陵人）及程原（字孟长，一字六水，新安人）、程朴（字素元）父子、汪关（字尹子，原名东阳，字果叔，后得汉汪关印，遂更名关黄山人）、汪泓（字宏度）父子等十数人，而以梁苏二子为最，梁袠旁传皖人邓琰，以圆劲取胜，是为邓派之开山主。

## 三、歙派

开歙派者程邃（字穆倩，号垢区，一字朽民，又号垢道人，江东布衣，歙县人），初以文、何为宗，其后自立门户，好合大小篆钟鼎款识入印，尤得力于秦朱文，惜于六谊未能精审，篆法时有乖误，虽大醇小疵，终非全璧。传程氏之学者为巴慰祖（字万堂，号予籍，歙县人）、胡唐（又名长庚，字子西，号咏陶，又号城东居士，歙县人），

汪肇漋（一名肇龙，字稚川，歙县人），与邃同称歙四子。此外有黄吕（字次黄，别号凤六山人，歙县人）、黄宗缉、唐燠、程奂轮、程锦波，及江恂（字于九，号蔗田，仪征人）、江德量（字成嘉，号秋史，又号量殊，江都人）父子，并传程氏薪火。与巴、胡同时者有董洵（字企泉，号小池，山阴人）、王声（字振声，一字寓恬，号于天，新安人）专习嬴刘，自成一队，时称"董巴胡王"。歙派诸子善以涩刀拟古，故多妙合无间，以视后世之侧刀入石剿袭取媚者，不可同日语矣。

程邃

巴慰祖

胡唐

汪肇漋

董洵

王声

黄吕

## 四、浙 派

开浙派者丁敬（字敬身，号龙泓山人，亦号研林，晚号钝丁，又署无不敬斋，杭州人），远承何雪渔，近接程穆倩。人谓："入清以来，文何旧体，皮骨都尽；皖派诸子，力复古法，而古法仅复，丁敬兼撷众长，不主一体，故所就弥大。"盖丁氏力追古贤，而不肯墨守汉家成法，所见既远，所就自大。踵丁氏而起者，有金农（字寿门，号冬心，亦曰稽留山民、昔耶居士、心出家庵、粥饭僧，杭州人）、郑燮（字克柔，号板桥，兴化人）、黄易（字大易，号小松，又号秋庵，杭州人）、奚冈（字纯章，号铁生，又号蝶野子、蒙泉外史、鹤渚生、散木居士，杭州人）、蒋仁（原名泰，字阶平，号山堂，又号吉罗居士、女床山民，杭州人）、陈鸿寿（字子恭，号曼生，又号

种榆道人，杭州人）。除板桥外，余皆杭人，共丁氏称雍、嘉七子。丁黄奚蒋，亦称泠四家。或以丁黄奚蒋陈五子，及陈豫钟（字浚仪，号秋堂，杭州人），为西泠六家。再益之以咸同间之钱松（字叔盖，号耐青，晚号西郭外史，杭州人）及陈秋堂高弟赵之琛（字次闲，号献父，杭州人）为西泠八家。外此则有胡震（字不恐，号胡鼻山人，富阳人）、张燕昌（字芑堂，号文鱼，又号金粟山人，海盐人）、杨澥（原名海，字竹唐，号龙石，吴江人）、翁大年（字叔均，吴江人）、杨大受（字子君，号复庵，嘉兴人）及赵次闲高弟陈祖望（字缵思，杭州人）等，各为浙派负弩前驱，建树壁垒。盖自黄奚以下，皆师事钝丁，或为私淑弟子，亦可见当时流风之广被矣。其后又有钟以敬（字矞申，号让先，又号窥斋，杭州人）、江尊（字尊生，号西谷，杭州人）、杨舆（字辛庵，杭州人），各传次闲衣钵，吴镬（字宷，一字老宷，又号晚翠亭

丁敬

黄易　　　　　　　　　　　　　　　　奚冈

蒋仁

陈豫钟

陈鸿寿

钱松

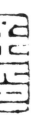

金农

胡震

张燕昌

杨澥

翁叔均

杨大受

赵之琛

华复

长，石门人），能挹奚赵之长，华复（字松庵，号无疾，杭州人）传钱松之学，陆泰（字岱生，长洲人）传杨澥之学。余子碌碌，则自郐以下矣。

自来拟秦汉印者，未解古人刀法，惟知侧姿取媚，驯至貌合神违。及之歙派兴，以涩刀入石，而作风为之一变。至浙派乃纯用切刀，于涩中寓坚挺之意，而秦汉精神，跃然毕现，不可谓非印学功臣。或谓："浙派用刀，与巴胡辈俱宗汉人，各得一体，歙阴柔而浙阳刚。"其说是已。余谓钝丁之不墨守成法，正是其善守法处，盖能以汉为经，而杂取众长以为之纬也。余子仅黄奚能传衣钵，蒋陈以下，已多剑拔弩张之势。至如陈曼生之有肉无骨，钱叔盖之牵合附会，赵次闲之荜路蓝缕，皆后世学浙派者，锯牙燕尾一派所自出，躯壳已非，遑论神意。创业易而守成难，我宁取歙之阴柔，而不取浙之阳刚矣。

陆泰

钟以敬

江尊

杨兴

吴镬

## 五、邓 派

开邓派者邓琰（字石如，一字顽伯，又号古浣子、完白山人、笈游道人、龙山樵长、凤水渔长，怀宁人），书法刚健浑朴，曹文敏称其四体书皆为国朝第一，篆刻亦如其书，师承梁千秋（昔人多谓完白出而何主臣直系，非也），而益以己意，不屑屑乎高标秦汉，盖与钝丁之不肯墨守汉家成法，实异途而同归者也。篆法以圆劲胜，戛戛独造，无几微践人履迹。后人谓其书从印入，印从书出，在皖宗实为奇品。传其学者，为包世臣（字诚伯，号慎伯，晚号诚倦翁，安吴人）、吴廷飏（字熙载，号让之，又曰攘之，晚号攘翁，仪徵人）、赵之谦（字扐叔，号盖甫，又号憨寮，初字冷君，晚号悲庵，又署无闷，会稽人）、胡澍（字荄甫，绩溪人）、周启泰，程荃（字蘅衫，怀宁人）。

吴廷飏以朱文胜。白文拟汉虽有是处，终嫌秀媚有余，峻拔不足。

赵之谦缵述完白，独能别标新格，举权、量、诏板、泉、布、镫、鉴文字，融会贯通，取以入印。朱文气势稍弱，白文大气磅礴，几欲凌驾邓、吴。而其渊思朗抱，发于词翰，涉笔命刀，皆成雅趣，在印囿中可称块然独步。至师邓而不为邓拘，法古而不为古樊，非其足心光眼光者，曷克至此。传赵氏之学者有钱式（字次行，号少盖、叔盖次子）、朱志复（字遂生，无锡人），其后有赵时桐（字叔孺，鄞县人）取赵氏静穆稳俊之笔，规抚秦汉，力求平正，以纠宋元之纰缪，时流之昌披，意至隆也。易熹（一名廷熹，亦名孺，字季复，又字孺斋，别署韦斋大厂居士，广东鹤山人）师承赵氏而参以专甓瓦削文字，挺拔古拙处有非赵氏所及者，尤善抚拟古玺，朴野浑穆，近人无与抗手，亦邓派之苍头异军也。

邓琰

吴廷飏

传吴氏之学者为赵穆（字穆父，号仲穆，别署牧父、老铁、穆庵印侯、龙池散人、兰陵居士、守辱道人、琴鹤生、白云溪渔人，毘陵人），工力视吴为弱，而能别具机杼，不规规于一格，大书深刻，有力如虎，而刀法谨严，实兼浙皖之长。

介乎吴、赵之间者则有吴咨（字圣俞，号适园，武进人）、徐三庚（字辛谷，号井罍，又号袖海，别署金罍山民，上虞人）。吴有《适园印印》行世，工力至深，而纤丽有余刚劲不足。徐则好为巧饰，一意妍媚，妖冶逼人，誉者谓如吴带当风，姗姗尽致；毁者谓如外教狐禅，未闻大道，然其白文拟汉之作，雄深朴茂，一洗铅华积习，要亦不可厚非也。

赵之谦

钱式

朱志复

赵时棡

易熹

赵穆

吴咨

## 六、黟山派

开黟山派者为黄士陵（字牧甫，亦曰穆甫，别署黟山人，黟县人），师承在吴、赵之间，亦邓派之旁支也。白文多摹悲庵，挺拔过之，偶拟秦玺，颇有古趣，朱文杂取权、量、诏板、泉、币文字入印，鼓刀直入，犀利无前，腕力之强，一时无两。子少牧颇能传其家学。李尹桑（字尹桑，号暝柯，亦曰茗柯，别署玺斋，吴县人），其高弟也，善守师法，时出新意，惜以局处南服，所传未广。

黄士陵

徐三庚

李尹桑

# 七、吴 派

当文、何既敝，浙、歙就衰，邓派诸家骎骎不为世重之际，乃有苍头异军，崛起其间，为近代印坛放一异彩者，则安吉吴俊是已。俊字俊卿，号仓硕，亦曰昌硕、昌石、仓石，曰苦铁，曰缶庐，曰老缶，曰缶道人，晚号大聋。初参丁、邓，继法吴、赵，后获见齐鲁封泥及汉魏六朝专甓文字，遂一变而为遒峭古拙，于是皖、浙诸派为之扫荡无遗。其身享盛名，播声域外，盖有由来矣。浙、歙二派，始用涩刀切刀，大书深刻，洎夫吴氏，易以圜干钝刃，驰驱石骨，信手进退，罔不如意。论者或病其入石过浅，不知大书深刻，亦嫌过犹不及。吴氏盖用佛门之旁参法以救其失也。传吴氏学者王贤（字竹簃，江苏海门人）、费砚（字龙丁，别署佛耶居士，松江人），各能略得一二。余子碌碌，仅及肤受，妄学支离，骎成恶习，坐为世诟，亦可叹也。

# 八、赵 派

赵派创于赵石（字石农，别字古泥，亦曰泥道人，常熟人），初从同里李钟（字虞章）受锲学，李盖吴缶庐入室弟子也，后从沈石友游，乃得亲炙缶庐艺事。缶庐治印，侧重刀笔，故其章法往往支离突兀者。赵于章法别有会心，一印入手，必先篆样别纸，务求精当，少有未安，辄置案头，反复布置，不惜积时累日，数易楮叶，必使安详豫逸，方为奏刀。故其所作，平正者无一不揖让雍容，运巧者无一不神奇变幻。然其初年之于缶庐固亦步亦趋，未敢少越规范也。吴主圆转，赵主廉厉，迨缶庐既老，大江南北已吴赵各树一帜，学吴而不为吴氏所囿，其惟赵氏一人，岂特青水蓝水已哉。故列为赵派，以为之殿。

上叙宗派止于虞山赵氏者，以此外无有能开宗立派者也。即北都印人如齐璜白石从赵悲庵出，虽巨刃摩天，终嫌犷野。寿玺石工，亦学悲庵，弱软板滞，了无是处。陈衡恪师曾陈年半丁，并瓣香安吉，各有寸长。凡此均不脱吴赵藩篱。自郐以下，更无足道，故并不列。

初期

初期

晚年

# 「款　识」

款识署于印侧，阴文谓之款，阳文谓之识，始于元代赵子昂松雪斋"天水"、"赵氏"二印，侧有"子昂"二字款。至明季文、何两家，踵事增华，张大其制，仿勒碑之例，先落墨，后奏刀，顾其款亦仅二三字，或加署年月，从未有长篇累牍者。至清季钝丁老人创为随手镌刻，以石就刀，自饶拙趣，于是署款之法为之一变。

亦有于印侧杂刻诗词及论印文字或印文出处者，以西泠诸家为多。其精能者颇有晋唐风格，如蒋山堂、陈秋堂、黄小松、赵次闲、徐三庚等是。

邓完白能于印侧信手刻篆分或狂草，不先落墨，融浑自然。其后包慎伯、吴让之等效之。

黄小松、杨龙石、翁大年等并好以分书署款，然皆先落墨，虽朴茂可喜，以视完白山人又差一间矣。

赵悲庵专工北碑，其印款转胜其书，有时类汉凿印，有时类六朝造像，有时如武梁刻石、仓颉题名，诡谲变化，莫可名状。其后黄牧父、易大厂、赵叔孺、李尹桑等并效其体。

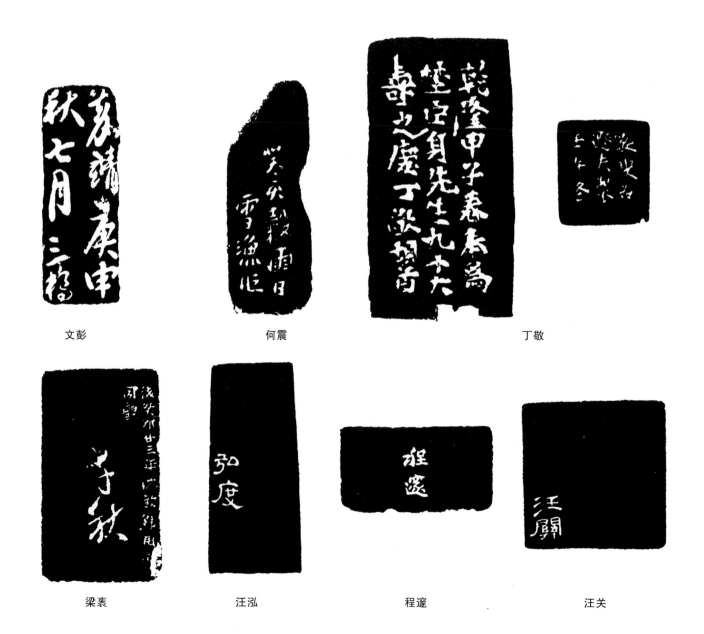

文彭　　　　何震　　　　丁敬

梁褒　　　　汪泓　　　　程邃　　　　汪关

蒋仁　　　　　黄易　　　　　赵之琛　　　　　陈豫钟

邓琰　　　　　　　　　　　吴熙载

黄易　　　　　杨澥　　　　翁叔均　　　　赵之琛

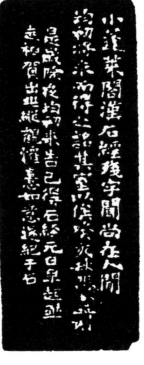

赵之谦

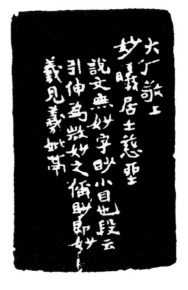

黄士陵　　　　　　易熹

第四下篇

「篆 法」

# 一、执 笔

执笔者，用笔之始，不解执笔，即不能运笔。执笔以五指共执为正法。五指共执者，大指抦笔，食指压笔（亦曰捺笔），中指勾笔，名指抵笔，小指拒笔。所取乎五指共执者，盖使笔之四面均便着力也。大指抦其左，食指包其右，中指卫于前，名指抵于后，如用兵然，大指、食指为左右两翼，中指为前锋，名指为后队，四面分布，而以小指为其后盾，则笔管自然稳定，不至敧侧矣。此法名曰"拨镫"，唐陆希声谓传自二王，且溯源于李斯。南唐李后主所称为秘法者也。唐林韫解拨镫之镫为马镫，谓虎口间空圆如马镫，此说非是。盖"拨镫"之意，不在"镫"而在"拨"，林以足踏马镫，浅则易转，喻运指执管，亦欲其浅，使易拨动，然踏镫而曰"拨镫"，未免牵强。案：昔有拳师，授人运力之法，先使之拨镫与埽地，久之，其人遂臻绝诣。拨镫运三指之力，作书亦运三指之力。据此，则拨镫之镫为非马镫，明矣。

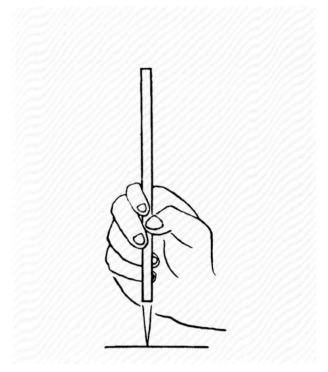

正视

## （一）拨镫五字诀

**抦** 以大指上节自节以上，用力抦住笔管之左方，是为大指之执法。

**压** 以食指上节，压定笔管之右方，使与大指齐力执住，是为食指之执法。

**勾** 以中指尖勾住笔管之前方，即管之对掌心外面，兼以中节之骨，助食指勾力，使笔不外倚。是为中指之执法。

**贴** 以名指爪肉之际，用力贴着笔管之后，与勾力对向，使笔不内倚。是为名指之执法。

**辅** 以小指紧辅名指之后，使掌虚而又不患勾力之过强，是为小指之执法。

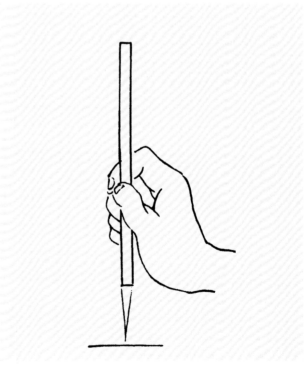

侧视

上五字诀，即古人所谓五指齐力者是也。唐陆希声五字法曰："抦、押、勾、抵、格。"与此略同。

## （二）八字诀

**捺** 大指骨上节下端用力，中节突起，作九十度直角。

**压** 食指中节，旁着笔管，使中节骨突起如鹅颈（以上二指，着力而不动）。

**勾** 中指尖着笔管，勾笔令向下。

**揭** 名指指爪肉际着笔管，拒笔令向上。

**抵** 名指揭笔，中指抵住。

**拒** 中指勾笔，名指拒之（以上二指主转运）。

**导** 小指附名指之后，导之过右。

**送** 小指送名指过左（以上一指主牵过）。

此八字诀，较五字诀为精详。凡用拨镫法者，其掌必覆，其腕必平，筋皆反组，可以久书不倦。古人作书，皆用拨镫法，故通篇笔力，后先如一。至大指之撅法，有龙眼、凤眼之分。龙眼者，圆其大指，以指尖撅管，使虎口成圆形。凤眼者，屈其大指，亦以指尖撅笔，使虎口成新月形。要之，用笔时各因笔之性情，及其时宜，或龙眼，或凤眼，或急执，或缓执，各尽其妙，不可刻舟求剑也。

执笔之高度，亦为习书者必须具备之常识。大抵书五分以内小字，约离笔尖八分；一寸左右中字，约离笔尖一寸二分；三寸以上大字，约离笔尖二寸一分。皆以英寸计算，而以笔尖至名指尖间之距离为准。

写小字运转全借指力；较大之字，则需借腕肘之力运使，故有枕腕、悬腕、悬肘之别。枕腕，小字用之；悬腕，中字用之；悬肘，大字用之。

枕腕者，腕肉轻贴案上，以为运笔高低之准绳，倘嫌手腕肉薄，则以左手手指平覆，垫于右腕之下，此法始于唐代，盖就几则势不宽转，悬腕又势易散漫，故作此以平亭之耳。

悬腕者，肘着案而虚提其手腕也。腕离案约五分，肘骨轻贴案上。

肘者，臂肘也。悬肘者，自腕至肘，皆虚悬空中，不着于案。腕肘离案约一二寸，左手扶案，以免躯体摇动。运笔时，仅动肘膊二节。盖腕肘既虚悬，则肩背之力出，笔力自然沉着，且腕不着案，则转运灵活，下笔之际，自然纵横如意矣。

悬腕、悬肘二法，初学时心虚气浮，必致颤抖欹侧，不能成字。法当虚其掌心，伸中指并食指，于案上空画，或以箸代笔，就案上画之，俟能不拗，然后操笔。

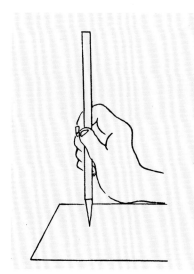 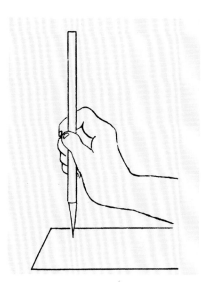 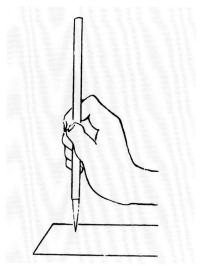

枕腕式　　悬腕式　　悬肘式

## 二、运 笔

支持物体，必赖重心，然后方无倾侧坠落之虞。盖重心者，力之所在也。作书亦然，一笔有一笔之重心，一字有一字之重心，故古人有云："一笔失所，如美女之眇一目；一字失所，如壮夫之损一股。"所谓所者，重心之谓也。失所者，失其重心也。作书之重心，当于下笔时求之。其第一要义，即笔锋必须在画之中央，毫背圆正，不偏不侧，即所谓中锋笔法是也。中锋笔法有三：曰"逆锋"，曰"藏锋"，曰"回锋"。逆锋、回锋，旧统名"蚵锋"。今以直画为譬：右图1为起笔处，笔尖倒卧，徐徐上引，至顶点2，笔稍提起，使笔尖垂直，然后全锋下曳，至底点3，仍逆锋上引，至终点4而止。由1至2，是为逆锋，由2至3，是为藏锋，因笔锋裹在画中，并不外露也。由3至4，是为回锋。逆锋为起笔，藏锋为行笔，回锋为收笔。古人所谓"无垂不缩，无往不收"者，即指此。盖如是，则画之重心，在1与4之中间，上、中、下三段笔墨无处不到，前贤法书精到处，映日视之，画中有浓墨一线，细于丝发，首尾直贯，反视纸背，状如针画，非纯用中锋笔法，不能得此。

笔锋有阴阳两面，在外曰阳，在内曰阴。常人作书，不解阴阳之理，但侧锋任笔，仅以阴面着纸。夫笔尖之长，不过一二寸，蓄墨有限，作小字尚无问题，至盈寸以上字，则一画未终，所蓄之墨，已半途枯竭矣。用中锋作书者，起笔锋逆，所消耗者为阳面之墨，至顶点转入行笔，是笔锋已由阳面反至阴面，所消耗者为阴面之墨，至底点又反阳面，回锋上引，则所消耗者为阳面之余墨矣。假定笔锋蓄墨十分，阴阳各得其半，起笔逆锋耗墨二分半，行笔藏锋倍之，耗墨五分，至回锋收笔，又耗余墨二分半，如是则所蓄之墨，尽人于纸，自无笔枯墨燥之病矣。

真书之结体，由点而画，有侧、勒、努、

趯、策、掠、啄、磔等诸势，称为"永字八法"。篆书则不然，无论古籀，其原始字体，皆属符号，至为简单。至后世大小篆递兴，亦仅由独体变而为合体，虽其笔画由简而繁，然其字形之构成，仍不失为各种符号，剖析之仅得直画、横画、左弧和右弧及圆形四种。除直画笔法，已详前图外，今将其余三种笔法，亦构图明之：横画、左右弧及圆形之起笔、行笔、收笔，与直画同，皆起于1，终于4。惟篆书之圆形，为左右两弧所合成，故为两笔书，而非一笔书。

作篆运笔，宜迟不宜疾，一毫苟且不得，一笔不能偏倚，宜端坐正视，平心静气为之，切忌草率从事。蔡邕曰："书者，散也。欲书，先散怀抱，任情恣性，然后书之。若迫于事，虽中山兔毫，不能佳也。"又曰："夫书，先默坐静思，随意所适，言不出口，气不盈息，沉密神彩，如对至尊，则无不善矣。"

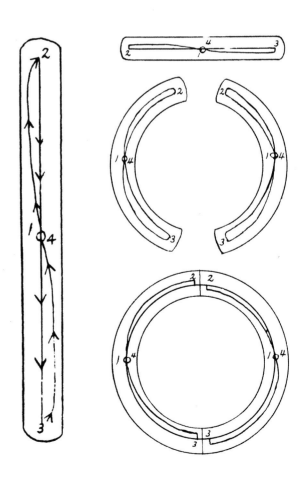

# 三、结 体

《说文》："篆，引书也。"盖谓引笔而书之也。故于"丿"（音撇）部云："右戾也。像左引之形。"右戾者，自右引笔曲向左侧也。同部"乀"下云："左戾也。"左戾者，自左引笔曲向右侧也。又"丨"（音衮）部云："上下通也。引而上行，读若囟（音信，进也），引而下行，读若退。"所谓引而上行，谓笔从下而上，如"才"字、"尺"字、"鳳"字、"飛"字等皆是也。简言之，引书也者，不外左引、右引、上引、下引四者而已。

篆书结体，略同图案，故左右上下，务求停匀，其用笔之先后，亦多与真书、隶书截然不同，苟不明法则，任意落笔，则用力不能平均，必至偏颇欹侧。例如"冖"，真书作两笔，篆作"冂"，为三笔，先"一"，次"丨"，次"丨"、"口"字（即围），真书作三笔，隶书作两笔，先"乚"，次"ㄱ"。篆法与隶同。"宀"字，真书、隶书并作三笔，篆作"冂、"，为两笔，先"丿"次"ㄱ"。"子"字，真书、隶书并作三笔，篆作"孑"，亦三笔，惟先"孑"，次"乚"，次"乚"。"巾"字，真书、隶书并三笔，篆作四笔，先"丨"，次"一"，次"丨"，次"ㄱ"。"木"字，真书、隶书并作四笔，篆作五笔，先"丨"，次"乚"，次"乚"，次"丿"，次"ㄱ"。又如"風"字，真书、隶书并作九笔，篆作"鳳"，仅四笔，先"一"，次"凡"（此作一笔由左侧起自下而上），次"己"，次"ㄱ"。"雨"字，真书作八笔，隶书作九笔，篆书如之，先"一"，次"丨"，次"一"，次"丿"，次"丨"，次"∷"。"回"字，真书作六笔，隶书作四笔，篆只一笔，作"回"，自中间起盘旋而下。清人黄子高（字叔立，番禺人）续三十五举，引一笔至四笔篆书，都一百七十七字，纵横曲直，左右方圆，无乎不备，能熟习于此，再留意于偏旁，则作篆之基础可以定矣。

## 一笔书

| | | 獻 | 房密 | 音曳 | 乙 | 乌辖 | 乃 | 弋支 | 厂 |
| --- | --- | --- | --- | --- | --- | --- | --- | --- | --- |

| 尸 | 隐 | 方 | 私 | 肱 | 衢月 | 已 | 以 | 了 | 巳 |

上"阝"乃字，自左侧起，由下而上。

## 二笔书

二　十　卜　匕　下　万　七　乇　肒　《　丩　八　儿　九

人　匕　化　几　刀　彳　夂　又　ナ　入　广　宀　勹　凵　几

口　夕　卩　抑　了　尺　斤　弓　勺　虫

上"∏"几与"∩"异，先"ﾉ"次"乁"。

## 三笔书

三　士　土　工　于　丌　坰　宀　集　屮　小　扌　丁　矛　川　气

彡　爪　丸　片　刃　寸　丑　巴　危楚　夂　口　日　白　止　亡　户

耳　臣　女　方　肉　月　瓦　疋　子　云　厶　瓜　彖　氏　石

上"ㅂ"口字，先"一"，次"乚"，次"丿"。丑字，先"彐"，次"丨"。"弖"巴字，先"弖"，次"一"。"白"白字，先"ノ"，次"ㄱ"，次"一"。"虎"女字，先"ㄑ"，次"ㄑ"，次"乁"。"疋"字，先"ㄑ"，次"ﾉ"，次"ㄱ"。"彖"厶字，先"ㄥ"，次"ノ"，次"乁"。

## 四笔书

王　玉　壬　象　之　正　挺　氏　兮

上"王"王"玉"玉"壬"壬"等，并先作三画。

干　牛　中　甲　泉　午　古拜　斗　巾　出

行　拱　攀　北　鄉　從　比　彊

上"⼲"干，字先"乚"，次"丿"，次"丨"次"一"。"⽜"牛，"⼿"中，"⾠"午，"丰"，丰"⼱"巾等字，并先作"丨"。"⼄"甲字，先"⼄"，次"⼁"，次"一"，次"丨"。"⼂"泉字同，"⼃"出字，先"乚"，次"丿"，次"丿"，次"乚"。

上"五"五字，先二画，次"乂"。

五　乂　凶　文　读若信　四　穴　冖　六　他达　目　廿　贯　田　由鬼頭

上"臣"臣字，先作"匸"。"民"民字，先"⼸"次，次"乚"，次"一"，次"乀"。

臣　牙　皮　攴　先　欠　犬　矨　无　丏　刟　邑　多　勿　戈　民

上"大"大，"矢"矢，"天"天字，先"人""人""人"，次"匚"，次"冂"。

上"⻁"虍字，先"⼂"，次"匸"，次"乀"，次"匚"。"⺟"母字，先"⺟"，次"一"。

幺　山　心　它　夂　火　大　矢　天

虍　弟　衣　母

# 四、练习阶段

学者先将上举一百七十七字，每日写一通，俟左右上下方圆曲直诸笔法，及其下笔之先后，一一烂熟于胸中，然后将《说文解字》部首五百四十字分二日写一通。——如因时间所限，则分四日写一通。——约以五十通为度。既毕，再写《说文》全文九千三百五十三字，以日写三百余字计，则一月可遍，期以半年，把笔自渐稳定，然后再临摹其他篆书碑刻，以正其体势。兹将习篆阶段，及应用书目列举于下：

## 第一阶段

甲　《说文解字》部首五百四十字

以吴大澂、杨沂孙二家所书者为佳，近人王福厂所书部首，颇有金石气息，亦可用。

乙　许氏《说文解字》

## 第二阶段

甲　李阳冰篆书《千字文》
　　　　《三坟记》
　　　《缙云城隍庙记》
　　　《谦卦》
袁滋篆书《唐颜铭》
季康篆书《唐溪铭》
汉《袁安碑》
　　　《袁敞碑》
梦英禅师篆书.《千字文》
　　　　《绎山碑》

乙　《邓石如篆书十五种》

此书共六册，第五册《阴符经》，篆法多出臆造，第六册《张子西铭》，勾摹失真，皆不可用。

丙　《思古斋双勾汉碑篆额》

汉碑篆额，变化多端，以之入印最宜。

## 第三阶段

甲　《石鼓文》

须求善拓，如锡山安氏十鼓斋之中权本，阮氏摹刻范氏天一阁北宋本，刘氏抱残守缺斋藏本等，其他各家翻刻及临摹本，皆不可用。

乙　吴大澂篆《孝经》
　　　　《论语》
田伏侯（名潜，江陵人）篆《金刚经》
　　　　《孝经》

上四种皆荟集鼎彝文字，间有拼合假借处，可为研索古籀之阶梯。

第二阶段所列诸书，宜依序各临十通至二十通，期以两年，然后再就第三阶段所列诸书，熟为临摹，以广其用。惟上列诸书，多有久已绝版者，须随时就冷摊或旧书肆访觅购置。

此外各家金文箸录类书，如阮氏之《积古斋钟鼎彝器款识》、薛氏《钟鼎彝器款识》，刘体智之《小校经阁金文》、《善斋吉金绿》，方濬益之《缀遗斋彝器考释》，吴大澂之《说文古籀补》，丁佛言之《说文古籀补补》，强运开之《说文古籀三补》，容庚之《金文编》、《金文续编》等等，不胜枚举，皆宜量为购置，随时研索。盖治印之道，识篆宜博，写篆宜熟，故有待于旁搜博采也。

印材多方，故印面文字，多取方正平直，而篆势多圆，则人石时，宜化圆为方，能介乎方圆之间，斯为得之。虽有斜笔，亦当取巧写过。丁佛言著《说文古籀补补》，上端篆文在格外者，体势谨饬古茂，大可采用。至拟三代古玺，则可径取钟鼎彝器文字入之，而稍变其形体。此等处，习篆既熟，见印既多，即可融会贯通，固无烦虚为词费也。

小篆俗名铁线篆，不知始于何时，然用笔诚能画如铁线，于此道亦已思过半矣。铁者，譬其刚劲；

铁线者，言其细而刚劲，故作篆宜细，切忌臃肿。入印文字，粗细轻重，各有其宜，又当别论。又，作篆书时，千万不得一毫真书笔法，学者只视之如图案画，而以毛笔代画笔圆规，斯得之矣。

学篆须由大字入手，自数寸扩至盈尺，则笔势可应手舒展，习之既熟，虽不拘于规矩法度，而其规矩法度，自然出于腕底，达之笔端，苟先从事于小字，则局势逼仄，无由展拓矣。

学书，天资与功力，二者不可偏废。天资未可强求，功力当反求诸己。思想而外，手眼之用为多，多写、多看，人十，己百，实为不二法门。昔完白山人客梅氏八年，每日昧爽即起，研墨盈盘，至夜分墨尽，乃就寝，寒暑不辍，所以成为一代宗匠。持恒而已，岂有他哉？

临池以清晨为最佳，晨起早，则得气之清，神志敏爽，不落昏惰。灯下习字，大伤目力，最非所宜。

集唐诗七言联　篆书

# 五、工 具

作书之工具，不外笔、墨、纸、砚，而尤以笔为主要，此四者之选择，亦须各得其宜。今为分述于后：

**笔** 古人作书，皆用兔毫或鼠毫。鼠毫制法，早已失传。笔工所售，仅袭其名，非真鼠须也。兔毫今称紫毫，性刚而耐用，惟嫌健则有余，韧则不足。法宜取羊毫之长锋者，长锋者，其出锋处较长，非谓长毫也。取笔毫映日视之，尖端透明处之长短，即为锋之长短。今笔工掺以兔毫或狼毫，约十成之一二，掺狼毫者，或称羊狼毫；掺兔毫者，亦称羊兼毫。如是则刚柔得中而耐写。羊毫恒苦腰部无力，掺以兔毫或狼毫，可免此病。又作篆纯用中锋，故笔毫不宜太长，以太长则腰部更无力也。清代北方盛行青鬃笔，为关外大狼，小于狗，大于狸，自额至脊有长毫，中笔材。脊毫最佳，额次之，近尾又次之。制法，取八分羊毫，二分青鬃，酌量增减之。最适于作篆。

笔以"尖齐圆健"为四德。尖者，笔头尖也。齐者，新笔发开，用指夹之使扁，内外毫平排，笔锋无参差长短是也。圆者，笔身圆壮饱满，如初出土之笋，腰不内凹也。健者，正副毫挺健到尾，不致身强锋弱也。

今人作篆，每将新颖切去，用弦线束笔毫，仅留出锋处一二分，令笔画匀适。自谓得计。清代之洪亮吉、孙星衍、桂馥等皆是。夫笔毫既被束缚，何能转运，亦骇事也。笔于写后必须用水洗净，不可使留些微墨滓，以墨质多胶，如不洗净，则墨胶黏着笔之内部，易致硬化脆折。洗后并须以手指沥干余水，将笔毫扯开，倒插笔筒，置于迎风之处，以免笔根着水腐烂。

**墨** 墨以胶轻为上，胶重为下，其品类有松烟及胶墨两种。松烟色黑而无胶，北人多喜用之，然过浓即黏滞难化，而装裱时尤易渗墨，故为通人所不取。胶墨以质细胶轻，上砚无声者为佳。

古人墨皆直磨，直磨乃见其色而不损墨，故古砚式多窄而长，今砚多圆，即方砚亦圆磨，且假借动势，往来如风，尽失古法。其实墨不问其为直磨、圆磨，但取其迟而已。古语云："研墨如病。"又云："磨墨如病夫，握笔如壮士。"学者于此，宜三复致意。

墨色以紫光为上，黑光次之，青光又次之，白光为下。光与色不可废一，以久而不渝者为贵。磨速则色不黑，介乎青黄之间；磨迟则细而黟。然市间胶墨，多粗制滥造，虽细磨不为功，可以少许花青，和于水中磨之，则黑而泛紫，宛然古色矣。如不用花青，则和以少许松烟墨亦可。作篆，磨墨宜浓淡得中，过浓则滞笔，转折处易见枯燥，过淡则字无神采，起结处易致渗化，皆非所宜。

**纸** 习篆之纸，宜细洁光泽。以细洁光泽之纸，下笔易于流走，难使沉着，习之既熟，俟能把握得定，则易书宣纸或他种黄糙之纸，自然游刃有余，不虞颠蹶。若先从粗纸入手，笔毫受纸面之牵掣，自然沉着朴茂，然一遇光泽之纸，必感旁皇失措，无从下笔矣。

初临碑板，或若间架不易安顿，则可用水油纸——一名嫩油纸——蒙于帖面，如初学习字之用影格然。水油纸透明而不过墨，以之影写，笔势可纤毫毕现，而帖面可不为墨污损。蒙写数过，间架渐定，然后对帖临写，即无盲人瞎马之苦矣。

**砚** 砚须用砚池，歙产即可，但求细腻发墨，而不伤笔者。不必定求佳砚。常用之砚须日一洗涤，若过两三日，则墨色即不鲜，至炎夏隔宿即腐，严冬隔宿即凝。故墨最好随磨随用。如用水油纸或黄纸报纸临摹，则墨可不虞渗化，故仅须以市售墨汁，掺水用之可矣。

# 「章　法」

治印之必须言章法，犹之大匠建屋，必先审地势，次立间架，俟胸有全屋，然后量材兴构。印材有大小方圆之别，印文有疏密繁简之异，不能苟同，不容强合。必须各得其宜，方为完璧。否则圆凿方枘，格格不能相入矣。

吴先声曰："章法者，言其成章也。一印之内，少或一二字，多至十数字，体态既殊，形神各别，要必浑然天成，有遇圆成璧，遇方成珪之妙，无阢陧而不安，无龃龉而不合，斯为萦拂有情，但不可过为穿凿，致伤于巧。"（《敦好堂论印》）袁三后曰："章法须次弟相寻，脉络相贯，如营室庐者，堂户庭除，自有位置。大约于俯仰向背之间，望之一气贯注，便觉顾盼生姿，宛转流通也。"（《篆刻十三略》）徐坚曰："章法如名将布阵，首尾相应，奇正相生。起伏向背，各随字势，错综离合，回互偃仰，不假造作，天然成妙。若必删繁就简，取巧逞妍，则必有臃肿涣散，拘牵局促之病矣。"（《印浅说》）凡此皆能阐章法之秘奥，并足以见章法与治印关系之重要矣。一字有一字之章法，全印有全印之章法。约而言之，不外虚实轻重而已。大抵白文宜实，朱文宜虚，画少宜重，画繁宜轻。有宜避虚就实，避重就轻者；有宜避实就虚，避轻就重者。为道多端，要非数言可尽。神而明之，存乎其人，是在学者之冥心潜索耳。

附朱白文辩

古印多白文，其文凹，印于泥，则凹处凸起，为朱文矣。顾大韶《炳烛斋随笔》云："凡物之凸起者，谓之牡，谓之阳；凹陷者，谓之牝，谓之阴，此一定不易之辞也。盖大至山谷，小至器用皆然。惟今之言印章者，则以凹陷者为阳文，凸起者为阴文，盖古来之传说故然。求其说而不得，则曰：以其虚也，故称阳；以其实也，故称阴。不知此瞽说也。凡后人之印章，以印纸，故凸起处，其印文亦凸；凹陷者，印文亦凹。古人之印章，以印泥，故凸起处，其印文反凹；而凹陷处，其印文反凸。所谓阳文，正谓印之泥，而其文凸也；所谓阴文，谓印之泥，而其文凹也。盖从其所印言之，非从其所刻言之也。"其说甚精，故附录之。

前人论章法之说綦多，非玄言即肤论，而泥古不化，强辞穿凿者，尤不一而足。虽亦有精微切当之论列，要以精确杂陈，学者每苦无所适从。今特撮其精蕴，归纳为一十四类，并各举印为例，以供实际之探讨。

十四类者：一曰临古，二曰疏密，三曰轻重，四曰增损，五曰屈伸，六曰挪让，七曰承应，八曰巧拙，九曰宜忌，十曰变化，十一曰盘错，十二曰离合，十三曰界画，十四曰边缘。

# 一、临 古

古印不尽可学，要当择善而从。其平正者，质朴者，有巧思者可学。板滞者，乖缪者，过纤巧者不可学。

上"灵州丞印"之"州"字，"郢（古程字）敞"之"尺"及"彡"，"陈臤"之"臤"作"彐"皆巧而不纤，可以为法。

上"费县令印"，"令"作"凲"，"印"作"畐"。"威烈将军印"，"威"作"戝"，"烈"作"焛"。"丽兹则宰印"，"兹"作"茲"。皆过纤巧。如"凲"、"焛"等，且与六谊不合。

临古要不为古人所囿，临其神不临其貌，取其长不取其短，有似而不似处，有不似而似处，斯为得髓。若一味摹拟，求其貌似，则近世铸板之术大行，摄影铸板，百无一失，何贵乎再借刀锲哉？

封泥多板拙，以印于泥，凹者凸而凸者凹故也。故临封泥，必须从死中求活，于板拙中寓巧思方可，然巧不能过，过即怪诞。

上临本与原拓之不同处，在司及宫之右直画，"忐"下之"⺃"，所谓死中求活，此其一斑。

图1　平正一路

图2　质朴一路

图3　有巧思者

图4　板滞

图5　乖缪

图6　过巧

图7　原印

散木临刻

图8　封泥原拓　　　　　　　　　散木临刻

## 二、疏 密

古印文字，疏密肥瘦均匀者多，如图9其不均匀者，如图10除凿印而外，大都自有其斟酌处。古人所谓："宽处可以走马，密处不可以容针。"学者宜于此等处索之。

"折冲猥千人"印，"折冲猥"三字笔画繁，故瘦而密，"千人"二字笔画简，故肥而宽。

古印文字，大都占地相等，如"折冲猥千人"印，"折冲猥千"四字，各占全印六之一地位，"人"字以奇数，故独占六之二。然亦有笔画繁者占地多，笔画简者占地少者。当视印文而异，不可一概而论。

图11"关外侯印"，"关"字笔画繁，故占地较多；"外"字笔画简，故占较少。"晋归义羌王"印为凿印，"晋"字直画极多，故占地几及三之二，"羌、王"二字笔画简少，故占地只三之一弱。至其占地之多少，似无法而实有法，可参阅第七节承应例。

## 三、轻 重

此言章法之有轻重，非言下刀之轻重也。具体言之，印文粗则重，细则轻，画多则细，画少则粗，此其大要。全印有全印之轻重，一字有一字之轻重，大抵四字印，三字笔画较繁，一字笔画较简，则三轻而一重之；反之，则一轻而三重之。二字三字及四字以上，依例推之。

图13"张峋之印"，"之"字笔画独简，故最重而粗。图14"十年一觉"印，"觉"字笔画较繁，故独细而轻。然印文非一，各有不同，章法亦随之而异，有宜如此者，有宜如彼者，未可一概而论。例如"张峋之印"四字，只宜三轻一重，如易作三重一轻，便突兀不安。"十年一觉"印亦然。

图13

图14

图9　　　　图10

图11　　　　图12

图15

图16

...

亦有同一三字繁一字简，只宜三重一轻，不宜三轻一重者；亦有同一三字简一字繁，只宜三轻一重，不宜三重一轻者。此等处，非笔墨所可尽宣，必须刻得多，见得多，即可自然领会，盖不外"因时制宜"四字而已。

图15"后来新妇"印，"来"字笔墨较余三字为简，按之常例，"后、新、妇"三字宜轻，"来"字宜重。图16"金石人家"印，"家"字笔画较余三字为繁，按之常例，"金、石、人"三字宜重，"家"字宜轻，今乃宜重者反轻，宜轻者反重，转觉平稳妥帖。此非实践，不易领会。试取此二印，改按常例刻之，互相对照，即可知其孰宜孰否矣。

凡全印文字，笔画繁简相等者，如嫌不分轻重，易成板滞，则可使左右略重，中间略轻，或中间略重，左右略轻，以救其失。

图17"见素抱朴"印，左右较重，中间较轻。图18"黄豊私印"印，中间较重，左右较轻。又横画多于直画者，宜左右重，中间轻；直画多于横画者，宜中间重，左右轻。反之，即不能稳健。

又有宜左轻右重，或左重右轻者，大抵施于一字印二字印，或二三字之半通印——即大小适当方印之半，谓之半通印。

所谓轻重，其间相差极微。如轻者过轻，重者过重，是为过犹不及。

复次，印之分轻重，为救板滞增变化而设，是犹用军之有奇兵，非不得已时不用之。如入印文字，繁简适中，可以停匀布置，不碍美观，便不必故作重轻，以示炫异也。

图17

图18

图19

图20

图21

## 四、增 损

汉印有增损之法。笔画之繁者，减之使简；笔画之简者，益之使繁。减，所以求宽畅；益，所以求茂密。然必皆有所本，不碍字义，不失篆体，故见者不訾其异。若复任意增损，乖离六谊，则毫厘之差，谬以千里矣。且字有一笔不容增损者，如强为装点，即不成文理，故又不可一概而论。再一印之字所能加以增损者，至多不过一二画，不能多所变易。如逐字增损，必有牵强附会之处，徒为识者所讥耳。

图22"司马舜印"印之"舜"字，篆本作"䑞"，减作"舜"。图23"任翁叔"印，"叔"，篆本作"村"，增作"㭪"。"䑞"中从"夲"，今作"水"，界于"冂"字下画内外，其形仍与"亾"近似。故虽减省，仍能识其为"舜"字。"叔"从"朮"，从"彐"，今"朮"增作"朩"，"彐"增作"彐"，"朮"、"朩"形小异，"彐"、"彐"古不分，故仍能识其为"叔"字。此所谓不碍字义，不失篆体也。图24"林下家风"印之"林"字，篆本作"林"，上下共六直，今减作"林"，上下共五直，其气势即较宽畅。

## 五、屈 伸

字之组织不一，有带圆势者，有带方势者，有宛曲者，有平直者，以之入印，往往嫌其突兀，则以屈伸之法救之。然字有可屈者，有不可屈者，有可伸者，有不可伸者，亦须体会六谊，不可任意取巧。

屈者，如"上"字，汉印中有作"丄"、"上"、"匸"或"上"者。"屮"字，有作"屮"、"凵"或"山"者。"匸"字，有作"匸"或"匸"者。尚无不可。若过为屈曲，如"上"作"㞦"，"屮"作"㞦"、"㞦"、"㞦"，"匸"作"㞦"，则沿唐宋九叠、七叠之敝，实为通人所不取。至如"上"之作"弖"、"匸"、"弖"，"匸"之作"匸"、"匸"，"米"之作"米"，"丬"之作"弖"，"㞦"之作"弖"，则更纰缪不成文理矣。

伸者，如"㳀"字，汉印多作"㳀"、"㳀"字，汉印多作"㳀"，"㳀"字，汉印作"㳀"、"㳀"或"㳀"、"㞦"字，汉印作"己"，"乙"或"乚"，皆尚与六谊无碍。至如"川"篆作"巛"，"黜"篆作"黜"，则万不可伸"巛"作"川"，伸"巜"作"川"矣。

图25"江少君"印，"江"篆本作"江"，从"工"，"工"屈作"㞦"，像江流之屈曲。图26"郝已"印，"已"篆作"㞦"，伸而直之，乃成"㞦"形，然仍不失其屈曲之状。

图22

图23

图24

图25

图26

亦有于此宜屈，于彼宜伸，于此宜伸，于彼宜屈者，则当视印、印文而异。

图27"一窗晴日"印，"窗、晴、日"三字皆方正，故篆"日"使圆，以免板滞，同时屈一字使成"～"，"俾"与"⊙"字相映成趣（一本记数字，并无定形，故可任意变易其字体）。图28"高阳世家"印，"阳"字篆本作"陽"，今以世篆作"世"，作圆形，故伸"昜"下屈处作"㫬"，古"昜"、"易"二字通用，故以"易"代"昜"，而伸其下端之"勿"作"㿟"，此盖从金文之"勿"、"勿"，而平正之耳。又"一窗晴日"印，以"⊙"作圆形，故变"一"为"～"以相呼应，"高阳世家"印，"世"字作圆形，余三字并方正，毫无呼应之处。此中消息极微，宜细心体会。

图27        图28

图29        图30

图31

## 六、挪 让

挪让之法，见于汉印，惟仅于一字之中，互相迎拒。盖汉人铸印，多取平正，故吾邱子行曰："印文当平方正直，纵有斜笔，亦当取巧避过。"每遇字有空处，无法填补，或一字笔画，多画偏颇，无法使之平方正直者，则除屈伸其笔画外，再就字之左右或上下，伸缩其所占地位，使之牝牡相得，此之谓挪让。

图29"孺"字印，篆作"孺"，"子"字下端有两空处，无法填实，则斜置其"孑"，而上下其"凵"作"屮"，伸需下之"而"向左，则空处自然填实。图30"骆"字印，篆作"駱"，略带长形，如易为方势作"駱"，又嫌字形横阔。惟伸马足向右，移"各"字之中部置其上，乃成正方。例图31"瀛"字篆作"瀛"，其下有"夕"、"鱼"、"黽"三字，笔画参差不齐，并列必嫌臃肿，故一移"夕"于上，移"口"于中，一移"夕"于左上，位置移易，无碍字体，而气势便较宽展。锲事固当以汉印为指归，然须择善而从，不宜拘拘成法。汉印之挪让，不过为求补满空处，然则字有过于板实者，亦可利用挪让之法，以求宽展，此所谓"死法活用"是也。

图32"汝"字印，篆作"汝"，汉印作"汝"、"汝"、"汝"，平直拘谨，用于三字印尚无不可，如用一二字印，便嫌板拙可厌。今一则缩"女"之左旁二笔，移倚水右，而伸"女"之右足使长；一则全举"女"之三足，斜出倚于水旁，如是，即觉轩举有致。

图32

就全印而论，亦无不然，有必须挪让，方得茂密者；有必须挪让，方得宽展者；亦有必须挪让，方不相犯者。其道不一，姑举数例：

图33"铁围山行者"印，"铁"字较宽，"围"字较窄，如缩"铁"以就"围"，则前四字尺度相等，如布算子，故缩"山"字以让"铁"，其章法即茂密而不板滞。图34"育弘"印，"育"篆本作"𠙹"，"弘"篆本作"𢎖"，以之入印，"夕"之右下，及"弓"下"厶"左，必有空间，且势亦散漫。今伸"育"下之"夕"作"㲼"，移"弘"字之"厶"置"弓"下，而"弓"又作"𢎺"，展其下股向"㲼"之左端，相互迎拒。如是，则看似散漫，而实茂密。图35"乐此不疲"印，"不"字紧逼左边，而空其右，"此"字居中，而以"疲"下"皮"字之"彐"，紧倚于"此"字左侧，使"疲"之中间，略留空地，便觉宽展。图36"辛巳生"印，"𢆉"有足，"厶"有头，叠置则头足相犯，故挪"辛"于左，让"巳"于右以避之。

别有使印文逼边以为挪让者，大抵印文笔画差等，不能逐字挪让，以求宽展，则将整个印文，或其一部分，紧逼左右边，使中间较为空虚。

图37"宝康瓠"印，笔画差等，无法挪让，故使其左右各逼于边。又以"康"、"瓠"二字叠置，占地较多，故使"康"字紧逼上边，如此方觉宽展。例图38"鸟语花香"印，四字皆方，纵"花"字略带圆势，仍不能救其板滞，故将"语"字斜迤，使其右下之"口"，紧逼右边，"香"字亦斜迤，使其左直斜倚左边，于是"语香"二字，分向左右斜迤，中间留出空处，使与"花"字左侧之空处相呼应，故虽略带偏仄，而并不觉其突兀。

印文笔画有不平均者，则令笔画较少之字，四面留空，或令之紧逼于边，而空其居中之一角。上者，图15"后来新妇"印。下者，如图13"张岣之印"。

印文遇有叠字，下一字作"＝"者，亦宜审其虚实，设法挪让，不宜留置中间。总之，凡所挪让，除白文外，皆当有所依附，勿令虚悬。

图39"昔昔君"印，"昔"、"君"二字，不分正反，如"＝"置于中间，则全印不分正反，如倚于左侧，则其势又不顺，故必右倚，方为正格。图40"有人亭亭"印，"＝"向右倚，使其左方留出空处，以与"彐"字左下空处相呼应。

图33　　　　图34

图37　　　　图38

图35　　　　图36

图39　　　　图40

# 七、承 应

承应与轻重、挪让，似同而实异，盖：轻重、挪让，言其实处，承应则言其空处也。夫形贵有向背，有气势；脉贵有起伏，有照顾。字有疏密之不同，要当审其脉络所在，互留承应地步，如四字印，右上一字有空处，则左下一字，亦须于其端留出空处以应之。图41"子厚金石"印，"子"字右下有空处，故使"石"字之"口"右倚，留出"凵"状之空间。"子"字左上有空处，故使"厚"字右倚，使其左方留出空处，互相呼应。图42"粪土之墙"印，"土"字"之"字笔画较少，空处较多，故占地令少，使上下承应。

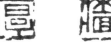

图41　　　　　图42

二字印，左一字有空处，则右一字亦设法空其左或右。三字印，左上或左下有空处，则右一字亦设法空其上或下。

图43"君硕"印，"硕"字"页"下有空处，故举"君"字之左足，使下留空处以应之。图44"沈存白"印，"凵"下有二空处，故"存"字令作"㝯"，俾"十"、"孑"上下各留空处以应之。

图43　　　　　图44

其四字皆有空处者，则设法实其一字。四字皆实者，则设法空其一字。惟如遇有字之不能实，亦不能空者，则宜别求他法，不可强为变化，致贻刻舟求剑之诮。

图45"土之一乞"印，四字皆空，故实其"乞"字。图46"意苦若死"印，四字皆方正平直，故令"死"字之"几"作"彳"，而宽其"占"，使其下留出空处。图47"务检而便"印，四字亦皆方正平直，"务、检、便"三字皆实，无法空之；"而"字空，无法实之。乃使"而"作"示"，化方为圆，令其左右间，自为呼应。

图45　　　　　图46

如三字繁，一字简，或听之，或将较简之一字多留空处，如图47"务检而便"一印是也。其三字简，一字繁者，则反之。

图47

# 八、巧 拙

印有以巧取胜者，有以拙取胜者，惟巧不欲其纤媚，拙不欲其板滞。徐三庚朱白文印，赵之谦之朱文印，每有故为屈曲，失之纤媚者。西泠诸家，力求古拙，以拘于规矩，遂成板滞。皆非正格也。所谓巧，谓字本平正，挪移其间架，使之流走。所谓拙，谓字本圆转，平整其笔画，使就规矩。亦有其字本巧，更挪移之，使益其巧者；其字本拙，更平整之，使益其拙者。凡此皆视印文而异。

图48"杀梦"印，"杀"字篆作"䌞"，古文作"䌞"，上从"乂"，今从古文，而高举其"𠂤"，便不平板。"梦"字篆作"夢"，今作"夢"，而屈其下作"𡕗"，使"夕"之曲画，与"𠂤"之末笔相迎拒，并使之黏附印边，以求稳重。"杀"字

拙，则巧之；"梦"字巧，则拙之，而"夕"之作"𠂤"，则又拙中之巧矣。图49"哭社印信"印，纯仿汉朱私印，平方正直，极尽拙之能事，而"哭"字上口右角，及"社"字右侧"土"之下画之逼边，正其巧处，故遂不觉板滞。

又，印文之巧多者，则须参之以拙；拙多者，则须参之以巧。

图50"海畔逐臭之夫"印，仅"臭、之"二字，谨守规矩，余皆各具巧思，似嫌巧处太多，故使"海"字笔画稍粗，略带拙意，以救其失。图51"任祖芬"印，亦拟汉朱私印，今使"任"字末画作"⌣"，逼近印字之上部；使"祖"之偏傍参差，以补"旦"字之缺处，若"任"迳作"旺"，"祖"迳作"祖"，斯真板滞矣。

图48

图49

图50

图51

# 九、宜忌

集画成字，集字成章，自一字以至多字，不论繁简单复，各有其宜，亦各有所忌。派其例者，是谓失所。撮要论之，各得十有四端：

## 宜

一曰：繁宜安详。繁者，笔画多，字数多也。如图17、18、31、38、50、61、62等是。

二曰：简宜沉着。简者，笔画少，字数少也。如图19、20、29、30、32等是。

三曰：方宜丰而和。方者，字带方形方笔之谓也。如图2、20、28等是。

四曰：圆宜柔而挺。圆者，字带圆形圆笔之谓也。如图34、36、38等是。

五曰：单笔宜挺劲而略带濡涩。单笔者，独立之一笔，无所依著者也。如图14、66等是。

六曰：复笔宜紧凑而略见参差。复笔者，有相同之笔画在二画或以上也。如图39、59等是。

七曰：曲笔宜灵活。曲笔者，字之转折处也。

八曰：直笔宜浑厚。直笔者，字之横画或直画也。

九曰：斜笔宜短而促。斜笔者，斜出之笔也。如"氵"下之"彡"是。

十曰：穿笔宜小而轻。穿笔者，画之交迕者也。如"十"、"×"等是。

十一曰：细朱文宜秀而劲。如图34是。

十二曰：粗朱文宜质而朴。如图21、77等是。

十三曰：细白文宜如天际游丝。如图17、54等是。

十四曰：粗白文宜如渊淳岳峙。如图15、69等是。

## 忌

一曰：巧忌纤媚。如徐三庚、赵之谦之朱文印是。

二曰：拙忌重滞。如例四诸印是。

三曰：瘦忌廉削。瘦者，笔画纤细也。廉削则乏润泽。

四曰：肥忌臃肿。肥者，笔画粗壮也。臃肿则无气势。

五曰：转忌露角。转谓字之折角处也。过刚则露角。

六曰：折忌无情。折谓字之诎曲处也。过柔则无情。

七曰：起忌矛头。谓其尖而锐也。

八曰：结忌燕尾。谓其作双叉也。

九曰：单忌孤悬。单谓单笔单字也。

十曰：复忌倾轧。复谓多画多字也。

十一曰：少忌散漫。少谓二字至三四字也。

十二曰：多忌杂沓。多谓五字至五字以上也。

十三曰：方忌板。方谓笔画方正。

十四曰：圆忌滑。圆谓笔画圆转。

# 十、变化

治印贵有变化，然变化非易言，一字有一字之变化，一印有一印之变化。必先审其脉络气势，辨其轻重虚实，并须不乖六谊，方为合作。

"夔"篆作"𔒀"，本无变化，故仅取其"ᵕ"、"𝟛"及其下之"𝌅"，少变其形状。图52—图55诸印"夔"字，篆法不变，而面目各异。图56、57二一字印，则以"夔"篆本长，故取"𝌅"纳之"ᵕ""𝟛"之中，而一作"𝌅"，一作"𝌅"以别之。此印文变化之大概也。

一印之中，如遇二字或二字以相同者，亦须设法变化，使免雷同。图58"五五学梅"印，两"五"字相同，如作"X"、"X"或"X"、"X"，则板拙可厌，作"X""X"则今古杂揉，作"8""X"则气势不贯，作"X""8"则散漫无制，故不得不用同样之篆法作"8"，互相欹仄，而稍别重轻，以免相犯。图59"劳人草草"印，两"草"字相同，共得十二直笔，此二字为四个"ᵚ"字所组成，事实上无可变化，故令四个"ᵚ"字，略分异致，而将十二直笔，各分轻重，以救板滞。

又如同一印文，连刻数印，则其章法，尤须善为变化。即或字体无可变化，亦须设法增损参错其笔画，以免雷同。盖如千篇一律，了无变化，则锓板可矣，何烦操刀为哉？

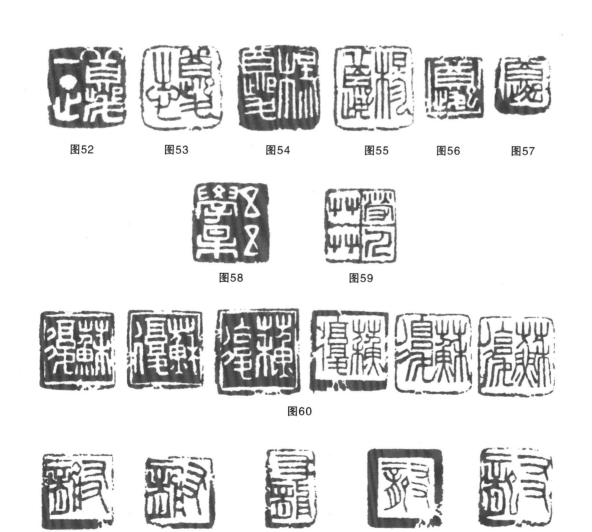

图52　　图53　　图54　　图55　　图56　　图57

图58　　图59

图60

图61

## 十一、盘 错

盘错，谓盘根错节，非谓屈曲纠缠。大抵字体长而笔画繁者，纳之方印，格格不入，则取构成此字之某一部分，变易其地位，使之化长为方，此非盘错不为功，然必须详审其虚实朱白，篆意笔法，务求平适安稳，不可任意更张。如图48、49两"夔"字印是也。

"庆"字篆作"麠"，汉印多变"夂"作"宀"或"冖"，或竟省其"夂"。图62，二"庆"字，仅将其下之"乁"移易，即化长为方矣。

多字印以字形大小、笔画繁简不一，如逐字整齐，占地相等，如布算子，平板可厌。必须就其字体笔画，量为错综，令逐字成章，合章成印。文寿承云："五六字以上，须稠叠，令如众星丽天。"是也。

图63"月为云停懒上窗"印，仅"月、上"二字，笔画较简，余五字并繁复，如以"月为云"三字作一行，"停懒上窗"四字作一行，则左紧而右宽，如以"月为云停"四字作一行，"懒上窗"三字作一行，则又左宽而右紧，故将"雲"字篆作"云"，减省其笔画，"懒"篆作长形，而使"月"字斜倚，俾留空隙，与"⊥"字两边之空隙相呼应，则宽者不宽，紧者不紧矣。图64"来自华严法界，去为大罗天人"印，凡十有二字，笔画繁简过殊，非加盘错，不易取胜。故"来"、"华"、"去"、"天"四字，使作圆势，"罗"字使之中虚，"法"字使之错落，"界"、"去"二字，使之紧促，"为"字使之右倚，于是繁者不觉其繁，简者不觉其简，方者不觉其方，圆者不觉其圆，刻多字印之能事尽矣。

图62

图63

图64

## 十二、离　合

印有以离合取胜者，字形迫促者，分之使宽展，是谓离。字形之散漫者，逼之使结束，是谓合。离不许散漫，合不许迫促，此其大要。

图65"阆房"印，"房"字作"厊"、"屪"，便板拙，故离之使作"屪"，而"方"篆作"ㄅ"，使带圆势，以补实其空处。图66"小道"印，"道"字笔画繁，故分之，"小"字笔画简，故促之。图67"芦中人"印，"芦"字笔画繁复，无法可分，则采汉凿印法，使从拙处取势：虚其中部，使之宽展。"中"字、"人"字，笔画极简，故紧接之使之结束。

印有所谓满朱满白者，此俗士之论也。满朱，盖谓计朱当白；满白，盖谓计白当朱，其实亦不外离合二字而已，岂有他哉？

图68"吕越"印，"吕"促而"越"弛，"吕"字粗视之如白文"吕"，此所谓计朱当白也。图69"千金"印，"金"字粗视之如朱文"金"，此所谓计白当朱也。

## 十三、界　画

四字印中间留出之"十"或"十"或"十"字形，三字印中间留出之"卜"或"ㄐ"或"═"字形，两字印中间留出之"丨"或"一"字形界画，不论朱白，皆当直如刀截，不宜参差出入，其上下四周亦然。此等处，可参阅图7、9、22、23、24诸印。

多字印及印文之大小不均者，每以屈伸挪让取胜，故不能顾及其中间所留界画之整齐，凡此又当别论。然其上下四周，仍需力求平直，即有不能，亦当设法整齐其一部分或一部分以上，此等处可参阅图33、39、50、63、64诸印。

图65

图66

图68

图69

图67

# 十四、边 缘

印之有边缘，犹屋之有墙垣也。大抵白文印多于四周略留空地，以当边缘如图17、22、23、24诸印是。亦有一面逼边，三面留空者；亦有三面逼边，一面留空者，惟其下端，必须留出相当空地，盖否则上重下轻，摇摇欲坠矣。至所谓逼边，系指所留之空地较少，非真逼近印边也。

白文印有于印文四周别加边缘者，此法日方自秦白文私玺。其印文之整齐者，边缘亦轻重停匀，如图26"郝已"印是也。反之，则其边缘或轻或重，宜视印文所宜，量为错综。

朱文印有阔边细边两种：阔边者，其印文多四面留空，如图34、43等印是；细边者，其印文有一面逼边，两面逼边，三面逼边诸种。一面逼边，如图16、20等印。两面逼边，如图38印。三面逼边，如图42印。

朱文印亦有以边缘轻重取势者，大抵以两重两轻为多。所谓两轻两重者，或左角两边重，右角两边轻；或右角两边重，左角两边轻，不宜上下重，左右轻，或上下轻，左右重。

亦有三重一轻，三轻一重者。三重一轻，大抵施之钜印。凡此皆取法封泥、陶、甓，其所重轻，须有意义，须有来历，非可任意为之。圆印边缘，回环一线，每易流于板拙，亦当就印文之虚实疏密，量为重轻，以拓展其气势。

又有借边一法，则属行险出奇，要当顾盼有情，而不落迹象，方为上乘。古印有四面无边缘者，此系变格，又当别论。

上举类14，举例80，不过略述一斑。印面文字，同异万殊；印材尺度，大小不一。举例有尽，变化无穷，是在一隅三反，不容刻舟以求也。

图70

图71

图72

图73

图74

图75

图76

图77

图78

图79

图80

# 「刀　法」

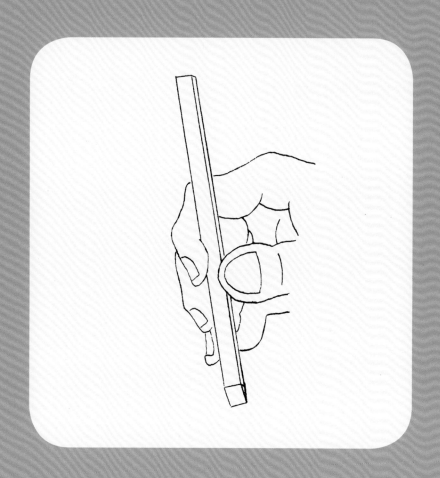

# 一、执刀

执刀亦犹执笔，法以拇指、食指、中指用全力撮定刀干；以无名指抵刀后；小指则辅于无名指之后。刀干须直立，而稍向前偃。食指、中指力抑刀锋入石，而以拇指拒之。一起一伏，继续向身切进。此时须运全身之力，自肩背达于腕、肘，再分运之拇、食、中三指之端，然后方能直入无滞（图81）。

亦有紧聚五指，握刀掌中，全以腕肘之力入石者。此则日方自前人之握管书。传诸葛诞倚柱作书，雷霹柱裂而书不辍。其后王僧虔，及唐张从申皆用此法。印人之用握刀法，赵㧑叔、黄牧父、吴缶庐皆然（图82）。

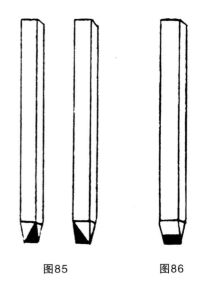

图85　　　图86

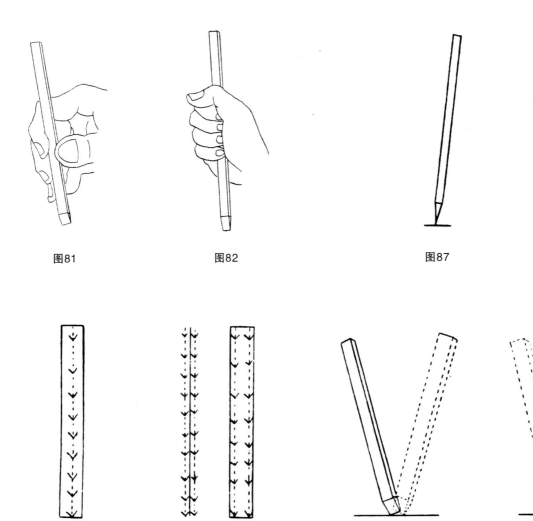

图81　　　图82

图87　　　图88

图83　　　图84

图89　　　图90

## 二、运刀

运刀之法，有单刀，有双刀。单刀，在画之正中下刀，刻细白文用之（图83）。双刀，在画之两侧下刀，刻粗白文及朱文用之（图84）。此外又分单入、双入、侧入、正入四种。单入，谓以刀锋之一角入石（图85）。双入，谓全刀入石（图86）。侧入，谓侧刀干以入石（图87）。正入，谓直刀干以入石（图88）。六者皆其体，其用则惟一"切"字而已。"切"，或由外而内（图89），或由内而外（图90）。

印面文字，有直笔，有折笔。直，谓纵笔及横笔、侧笔折，谓圆笔及笔画之转折处。作书有天地，绘画有上下，惟治印则字有后先，文无顺逆，无论其为横笔或侧笔，一例视同直笔，只将印石旋转，以就刀势而已。刻直笔如用双刀法，则白文先就画之右边，由外向内切去，然后旋转其石，再就画之另一边，由内向外切去。刻朱文则反之，先刻左边，然后旋转其石，再刻另一边。如是，则刻时运刀，虽有向内向外之别，而就直画之刀势言之，则皆顺而不逆（参阅图83、图84）。案：刀法须择宜而施，一印之成，决不能拘于一种刀法。即就刀论刀，亦当依理为归，由外而内，由上而下，乃成直画。则其刀势，亦自应由外而内，由上而下。既已转石迎手，即须转刀就势，如必顺锋切下，不可逆转，则直画之顺逆斯紊矣。揆此说之由来，殆误于"使刀如使笔"一语，不知此语应作"执刀如执笔"解，言其五指分布，勾拒指拶，刀之与笔，了无异致也。以言使刀，则书法有直笔、横笔、侧笔之别，刻印则只有直笔而无横侧，而谓"使刀如使笔"，不亦悖乎？

刻折笔之法，宜以大食二指，紧摩刀干，而以中指，向内推挤，名指向外抵拒，更辅之以小指，用力在腕，使之若即若离，非方非圆，无臃肿，无勉强，刀移印转，一顺其势，勿以印就刀，亦勿以刀顺印，斯乃得之。

冲刀法

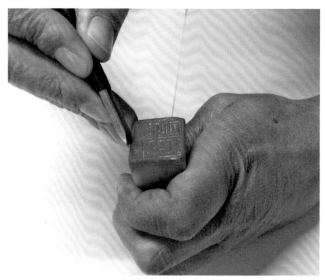

切刀法

单刀直入法一

单刀直入法二

单刀直入法三

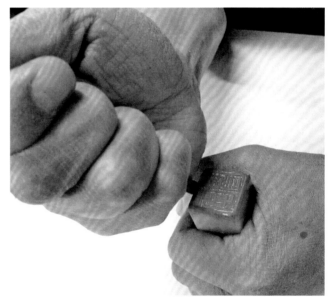

握刀法

## 三、辟 谬

前人之论刀法者，有正入刀、单入刀、双入刀、复刀、反刀、飞刀、挫刀、轻刀、伏刀、覆刀、切刀、舞刀、涩刀、迟刀十四说；又有留刀、补刀、复刀、冲刀、平刀五法。大半谰语欺人，不足置信，学者执而泥之，必入歧途，故不可不有以辟之。除正入、单入、双入及切刀四法，具详前节外，兹就其余十五种刀法，分别论其得失如下：

**复刀** 一刀去复一刀去，谓之复刀。刻印每成一画，必下数刀，非仅一刀了事，复刀之谓，特言其用，不名为法。

**反刀** 一刀去一刀来，谓之反刀。石质坚者用之。

**飞刀** 疾送不回，谓之飞刀。此第言其下刀之迅疾，应入冲刀，不名为法。

**挫刀** 将放而止，谓之挫刀。此与书法之"无垂不缩、无往不收"八字同意，为锲家下刀时必备之条件，亦不名为法。

**轻刀** 轻举不痴重，谓之轻刀。石质松软，及印小文多者用之，不名为法。

**伏刀** 藏锋不露，谓之伏刀（伏刀亦曰埋刀）。应入切刀，不名为法。

**覆刀** 平若贴地，谓之覆刀。此亦冲刀之一法，谓握定刀干，平覆印面，向前冲刺，藉以取势也。

**舞刀** 行而不知，谓之舞刀。此言能以意行，不着迹象，亦刀之用，不名为法。

**涩刀** 欲行不行，谓之涩刀。像牙犀角，其质顽腻，切则不易深入，冲又不易控驭，故惟有出之以涩刀。微微摇曳其刀锋，令向两边相摩荡，呈欲行不行之状，斯乃得之。

**迟刀** 徘徊审顾，谓之迟刀。

刻印下刀必须徘徊审顾，不能任意为之，是亦不名为法。

**留刀** 先具章法，逐字补完，谓之留刀。

《篆刻针度》曰："留刀者，非迟涩之谓也。篆合几字，虚实相应，谓之章法。捉刀入石，先相章法。不可将一字一画刻完，到相应处，照顾不及，则成败笔矣。须散散落刀，体会章法虚实缓急，行止顿挫，先留后地，故谓之'留'，知'留'则知章法矣，刀法焉得不神妙乎？"语实似是而非。案：章法为治印关键，孰者宜虚，孰者宜实，孰者宜缓，孰者宜急，必在未刻之先，预为确定。迨夫捉刀入石，此时成竹在胸，要如风樯陈马，所向无前，不容先留待补。谓为"逐字补完"，"散散落刀"，此惟匠石用之，非锲家之事也。

**补刀** 短长肥瘦，修饰和都匀，谓之补刀。印不宜多修，多修则神意两失。长者短之，肥者瘦之，其所修饰，不过一刀两刀而已。至所谓匀，谓能称其轻重虚实，非均齐方正之谓也。

**复刀** 一刀不至，而再复之，谓之复刀。此亦修饰用之，不名为法。

**冲刀** 文不浑雄，使之一体，谓之冲刀。冲刀者，自内而外，抢上而无旋刀。一印既成，视有弱处，以冲刀救之. 有不足处，以冲刀足之。此亦修饰用之，不名为法。

**平刀** 平正其下，使无参差，谓之平刀。用同补刀。

上列刀法，有成理者，有不成理者。至施之于用，则需因时制宜，不能一概而论。所谓"能者合之，不能者逐事合之，则愈见其拙"是已。不学之士，泥守盲说，至谓某印用迟刀法，某印用轻刀法者，义理未明，徒为通人所笑耳。

文寿承有《刀法论》，至精且备，今录于后：

字简须劲，令如太华孤峰。字繁须绵，令如重山叠翠。字短须狭，令如幽谷芳兰。字长须阔，令如大石乔松。字大须壮，令如横刀入阵。字小须瘦，令如独茧抽丝。字太缠，须带安适，令如间云出岫。字太省，须带美丽，令如百卉争妍。字太繁，须带宽绰，令如长霞散绮。字太疏，须带结密，令如窄地布锦。字太板，须带飘逸，令如舞鹤游天。字太佻，须带严整，令如神鼎足立。字太难，须带摆撤，令如天马脱羁。字太易，须带艰阻，令如雁阵惊寒。字太平，须带奇险，令如神鳌鼓浪。字太奇，须带平稳，令如端人佩玉。刻朱文须流丽，令如春花舞风。刻白文须沉凝，令如寒山积雪。刻二三字以下，须道朗，令如孤霞捧日。五六字以上，须稠叠，令如众星丽天。刻深须松，令如蜻蜓点水。刻浅须实，令如蛱蝶穿花。刻壮须有势，令如长鲸饮海；又须俊洁，勿臃肿，令如绵里藏针。刻细须有情，令如仕女步春，又须隽爽，勿离澌，令如高柳垂丝。刻承接处，须便捷，令如弹丸脱手。刻点缀处，须轻盈，令如落花着水。刻转折处，须圆活，令如鸿毛顺风。刻断绝处，须陆续，令如长虹竟天。刻落手处，须大胆，令如壮士舞剑。刻收拾处，须小心，令如美女拈针。

案：此论前半分叙章法，后半分叙刀法，而统名之曰"刀法论"，语语切当，不容移易一字。学者于此，苟能细心体会，善为运用，则于锲事，思过半矣。

---

# 四、款　识

署阴文款字之法，刀干宜直立，纯用单入切刀，使字之波磔，自然显露，万不可加以复刀。刻时握刀不动，以石就锋。故成一字，其石必旋转多次，而其下刀之次序，则与作书完全相同，与刻印面之"文无顺逆"异。前人署款之佳者，往往似晋唐人小楷，非纯用切刀，不能得此也。

草书署款，则应紧握刀干，向身切入。其转折处，并中指无名指之力，互相抵拒，左右推挤。此法全恃指力腕力。初学执刀，腕指之力未充，允宜暂缓。印侧刻阳识，创自赵伪叔，杂取六朝字体，及武梁祠刻石等字入之，其刻法与治印无异，亦颇古拙可喜。其后吴缶庐等偶一效之，亦有佳趣。署款有一定之面，刻一面者，必在印之左侧。刻两面者，则始于印之前面，而终于左侧。刻三面者，则起于右侧，终于左侧。刻四面者，起于印之后面（即向外之一面）而仍终于左侧，其刻五面者，同刻四面，而终于顶上。亦有署款于顶上者，大抵印材略扁而无纽。

印之有纽者，当先定其印侧各面之前后左右。其法视纽形而定。如瓦纽，或鼻纽、覆斗纽、坛纽等，当以其两穿所在（穿带之孔谓之穿），定为左右两面。如为兽纽，则以兽尾所在之一面为前面。然古铸印，多以兽尾所在为前面。而凿印，则多以兽尾所在为后面。余谓兽纽单印，不妨即以尾所在为前面。如为对印，则兽首相对，而尾相背，是宜以尾之外向者刻白文，内向者刻朱文。白文以尾所在为后面，朱文以尾所在为前面乃合耳。杂识云者，凡工具之选择，印材之判别，制泥、拓款之法则，以及摹印之篆法，印篆之上石、钤印、平印、饰印等琐事，皆属之。其刻玉制泥等法，散见古今载籍，然言人人殊，各不相谋，法愈多而道益岐。今悉本平生体验所得，揭其秘奥，分别部居，细为条述，学者幸无以其琐细而忽之。

# 「杂 识」

# 一、刻 刀

印材有牙、石、金、银、晶、玉之别，其质不同，故所需工具，亦随之而异，今分别详述于后：

## （一）刻石刀

刻石之刀，只需备大小各一已足。大者，约阔五毫米（密达尺），小者，约阔二三毫米，厚约三毫米，刀身约长十四厘米（略当英寸五寸半）。刀口，大者约四厘米，小者约三厘米。不宜过此，过则力薄，磨如斧式，角稍斜，平头亦可。昔有起底刀，及中间忽凹忽凸之各种刀式，胥俗工用之，非锲家所尚。

如嫌刀身平扁，执时不易稳定，可取废毛笔，去其笔头，将笔管直剖为二，削平其平面，并刨削其两边，使与刀干之阔度相等，先以麻绳或布片紧扎刀干（防竹片直接附着刀干易于滑动），然后将竹片分覆于刀干两面，而撕布条环绕紧束之，至刀身作圆形为度。如是则刀身略同笔管，五指分布，自易着力矣。

## （二）刻牙刀

刻牙之刀，同于刻石，惟牙质韧腻，不易深入，故其刀身当较刻石之刀为薄，大抵以厚二毫米左右为宜。

刻牙印如指腕之力，雄劲充沛，即以刻石刀为之；亦可游刃有余，不必另备薄刀。

刻竹、木、犀角等印同。

## （三）攻金刀

金银铜印皆金类也，其质较牙印更为韧腻，然指腕苟具大力，亦可以刻石之刀攻之。如力有未逮，则锤凿之法尚已。

凿刀须置二三十把，以备轮流磨砺，刀厚三毫米左右，阔自一毫米至四毫米不等。刀身约长六厘米（略当英寸二寸半）。刀口宜薄，宜单面出锋，其式略如木工用之铁凿。刀身中段须圆壮，庶免锤击时因受震而折断，锤则用寻常工匠所用之小铁锤即可。

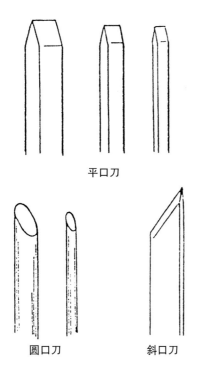

平口刀

圆口刀　　斜口刀

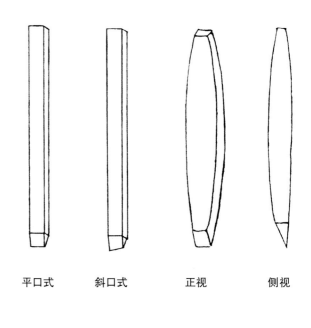

平口式　　斜口式　　正视　　侧视

## （四）切玉刀

玉有新山、老山之别，新山玉坚于石，然尚可受刀，可即以刻石之刀刻之；老山玉及曾经入土之古玉，则坚而且滑，不能任刀。旧有软玉涂药诸法，十九谰言，不足置信。有谓古玉用昆吾刀刻者，亦仅见诸载籍，初无佐证。以蒙所知，玉印非不可刻，特力有未逮耳。刻玉之刀，其干宜方，后附木柄，以承肩井，其式如下：

刀形正方，平磨其口，用其尖角。刀身及木柄之长度，可视人之躯干而定，以常人而论，刀身连柄，约长一英尺足矣。刻时先将玉印篆就，四边用湿纸或布条围住，就印床钤定，印床用镙旋钉钉着于案面（如不钉着，请大力人捧定亦可），然后置刀柄承于肩井，双手握住刀干，用其平面之一角，运全身之力，逼使入玉，一刀勿入，再进一刀，至再至三，从容而入。刻玉刀平面凡四角，每一角可刻三数刀，三数刀后，锋锐已挫，则易它为之。四面既周，则就砺石磨之，使复锐利。

市工刻玉，多用小锤锤之，虽亦成印，苦无刀法。市间有出售刻玉刀者，用金刚钻嵌入金属干内，以之治玉，亦能应手成文，然仅浅尝而止，不能深入。又有篆就后交玉工碾成者，碾工不通文理，而碾轮最易发热，必须和水施碾，印文遇湿，必致模糊脱落。且碾时只具横直，其转折处不能送到，碾成后非平板即失真，终不如用刀之善也。

水晶、车渠、玛瑙、翡翠等印并同。

## （五）炼刀法

市售之刀，刚柔无定，往往过犹不及。过柔，则口易卷；过刚，则口易缺。势非再加淬炼，不能适用。

淬炼之法，记载颇多，大都借用药物，往尝试之，百无一成，此盖古时科学未昌，对于火候热度，各本经验，初无定则。故其法虽传，未由如憎耳。案：复炼已成之刀，须先退火。退火之先，须将应退之部分，用砂皮擦至极光，取置烈火上烧之。至摄氏表220度时，其被烧部分，呈现淡稻草色（如烧至摄氏表330度时，被烧部分呈现灰色，则其硬度已全部退尽，不复可用），乃置入炭灰中冷却之（务须深埋灰中，勿使与空气接触，否则刀面与氧气化合，结成外皮，淬时有碍），即为退火。

惟刀之刚柔不同，过柔者刚之，过刚者柔之，其退火之程度，亦应随之而异。今将退火时因热度之高下而所呈不同之颜色，列表于下。下表由淡稻草色至灰色为止，由刚而柔，逐步递减，热度愈高，其冷却之时间愈长，冷却之时间愈长，则其刚愈柔，学者于此不可不细加体验。

俟刀已完全冷却，然后入淬。淬法有油淬、水淬两种。油淬较刚，水淬较柔。油淬用火油、茶油、菜油均可；水淬淬剂，则用冷水，或曾过电之水，或水银。淬前，仍加烈火上，俟烧至摄氏表245度，呈现黯稻草而略带黄色时，即离火。候其色转至亮红，乃淬之。

淬时，水以无声为度，油或水银，约淬五分至十分钟。淬既复烧，俟现深虎黄色时，再淬。如入油，则至所现之色退尽为止；入水或水银，则至紫色为止。淬后须稍退其火力，否则刀锋刚燥，攻坚过猛，易于缺折。退火之法详前。亦有淬时只以锋端之半寸（径小者三分许）入油或水，淬后取出，其后段尚甚热，即令此热，自动及传于淬处，谓之本来热信退火法。

如市购刻刀，不能应手，而重加淬炼，又嫌不便，则可购德国制之锉刀（以三角牌为最佳）。付刀肆，说明式样，及其大小厚薄，钢火老嫩（此为刀肆术语，"老"谓其钢，"嫩"谓其柔），命之如式改制。改制时，切须亲自监视，勿任多下冷锤（铁出炉则热甚而红，渐锤渐冷，由冷而暗，暗而仍锤之，谓之冷锤），因钢之佳者，受冷锤易裂也。又烧时勿令多受白热，否则钢即受损。

攻金之凿刀，肆间亦可现购，如嫌刚柔不一，亦属刀肆定制。

| 现　色 | 摄氏表 |
|---|---|
| 淡稻草 | 220° |
| 稻　草 | 230° |
| 黯稻草 | 240° |
| 棕　黄 | 255° |
| 红　棕 | 265° |
| 紫 | 275° |
| 紫　蓝 | 285° |
| 蓝 | 295° |
| 深　蓝 | 310° |
| 灰 | 330° |

## （六）附印床式

近世锲家，多喜用印床，若石印、牙印可不必，至金玉印及牙印之过小过大者，自以用床为便。床宜用坚木制，愈重愈佳，其式如下：

下图标床身长九英寸，高三英寸，宽四英寸，中开槽，长三英寸半，深二英寸，槽中置ＡＢＣＤ四木片，高如槽，宽与床身等，厚薄可任意。其Ａ、Ｂ两片，各刻折角槽，用以固定方印；Ｃ、Ｄ两片，各刻半圆形槽，用于固定圆印。另备木楔Ｅ、Ｆ两片，各长五英寸，头宽尾窄，用于拴固槽中木片。外备厚薄不等之木片三片，用于就印材大小，去取配合。

市间有铁制印床出售，外围铁框，借一端所附之螺旋柄为伸缩，尺寸小巧，取携至便；然病在侧压力不足，印经钳定，极易浮动，究不如木质印床为佳。

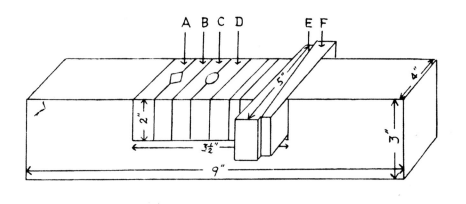

## 二、印 泥

秦汉玺印，皆用泥封，其用犹今之火漆。唐集贤院图书印作黑色，历久而色不变。此或为油艾制泥之始。至朱泥，或云昉自宣和，或云五代时已有之，总之，当与刻书之雕板术同时发明。北宋印迹多为水印。水印者，以水和朱，代油之用，乍见鲜明，日久水性退尽，朱浮纸上，极易脱落。南宋以后，改用蜜印，以蜜调朱为之，较水印为耐久，然蜜性退亦必脱落。至元代始有油朱之制，油朱之泥，品质优劣，万有不齐，古法失传，佳制日少，其勒有成书者，仅乾隆时汪镐京所著之《紫泥法》一卷，然开卷即曰"染砂"，已知其支离不足为训。盖泥之红为砂之本色。砂而待染，则其为砂也可知矣。八宝印泥，创自乾隆，以承平日久，文治休明，所用物品，无不刻意求精。世传书画之有乾隆御题者，其所钤之宝，印文凸起，鲜红欲滴，遂谓非八宝之功无此奇迹。所谓八宝者，一珠粉，二辰州朱砂，三真腊红宝石（真腊即今柬埔寨），四赤金粉，五石钟乳，六珊瑚屑，七车渠粉，八水晶粉，凡此已非常人之力所能致。且也珠粉、珊瑚、车渠，磨细后皆无色；珊瑚更易起霉；宝石坚度仅次金刚石一等，欲乳为粉，不知其乳器当用何物为之，故此所谓八宝是否可靠，尚有疑问也。至往时市上通行者，有日制、闽制两种。日制之劣者，捣皮纸为绒以代艾，久则朽腐如泥，不值识者一顾，其佳者价亦不赀。闽制为漳州产，亦以普通者为多，佳者以丽华斋为最。然其色略带橘黄，且多油朱不匀之病。日制之佳者，朱细油匀矣，顾其色彩，薄而无骨，且亦病其太黄，不能得朱之正色。至近时市上所售，其鲜红者，号称八宝、魁红、镜面，其实全恃西洋红，其带黄者，则纯用朱膘。求能略具朱砂正色者，竟杳不可得，亦可慨已。辨洋红印泥之法，钤印纸上，燃火柴就纸背熏之，初，印泥由红而赭而黑，火熄黑赭渐退，仍返红色。惟印文四周泛出粉红色油迹一圈，此为杂有洋红之证。纯朱印泥，即无此病。

朱制印泥，色宜带紫，质宜深厚。然同一紫也，紫而鲜则可，紫而黯则不可；同一厚也，厚而均则可，厚而粗则不可。必须殊细而不堆砌，油匀而不沉晕，绒韧而不黏滞，色泽鲜艳沉着，适合正赤者，方为佳品。市间所售，不足以语于此矣。

制泥之法，言人人殊。载籍所记，无虑十百。如所谓"炼油须加药物"，"乳砂不宜顺逆"等等，非玄言，即臆说，欺人之谈，不足置信。兹本经验所得，分别详阐于后：

### 炼 油

考诸载籍，菜油、蓖麻油、茶子油，皆可制泥，惟蓖麻油久必变色，芝麻油性轻易浮，茶子油薄而易渗，皆不如菜油。菜油须托乡人杜打，市间所售，多杂而不纯，故不可用。菜油一斤，入黄蜡一钱，白蜡三分，砒石少许（蜡性凝，使盛暑不稀，砒性热，使严寒不冻，惟砒万不可多，多必败泥），入瓦罐内用文火熬之，勿使大沸，俟熬透，去其浮起之渣滓油沫，仍用文火徐徐熬之，约炊许离火，候冷却，去其沉淀之油脚，然后倾于磁盘中（盘须浅而平或玻璃金鱼缸亦可），覆以玻璃，惟不可盖密，须稍垫一角约二三分，使水汽得出，曝之三伏烈日中，晒二三年（愈久愈佳），俟色白如蜡，质腻如膏，滴纸不晕，则油成矣。旧方有加苍术、白芨、胡椒、花椒、皂角、血竭、藤黄、附子、干姜、桃仁、金毛狗脊、斑蝥、无名异等药物者，故神其用，不足置信。

### 治 艾

艾产汤阴者谓之北艾，产四明者谓之海艾，产蕲州——今湖北蕲春县——者谓之蕲艾，而以蕲艾为上，或本地老艾，叶大者亦可用。先拣去粗梗，筛去泥屑，晒燥搓软，入药碾，碾去黑皮；细筛，筛去黑屑。如是数次，至皮尽为度。然后抽去药中之筋，盛以麻袋，置净锅内煮之。一再换水，俟水色由黄而白，白而复黄，黄而复白，滴纸无痕乃已。

清水浸一宿，次日晒燥，用小弓弹松，就盛饭之筥箕，用力磨擦，至黑星尽去，所余者为艾叶之纯纤维，细长洁白如棉纱，是为艾绒。大抵蕲艾一斤，可得艾绒三钱左右；本艾一斤，可得艾绒二钱左右。

又云南宜良县——在昆明东南——产艾特大，宜良市间有制艾论束出售，其价极贱，每束二三十支，支长者约八九英寸，短者亦五六英寸，纯净洁白，纤维细且韧，仅需拣去其襞折中所附黑星杂质，即可用以制泥，不烦选治矣。此物滇人以为引火及火种之用，故通称火草。

市间所售制艾，其色黄黑，琐细松软，全无纤维作用，此乃洋艾所制，不能适用。

### 选　砂

朱砂产地有湖南之辰州——今沅陵，贵州之开阳、省溪，四川之酉阳，广西之北流以及鄂南等处，而以湘黔边界晃县所产为最佳。砂以光明莹澈为佳，色带紫而不染纸者为旧坑砂，为砂之上选；色鲜红而染纸者为新坑砂，次之。又以箭镞砂为上。箭镞砂今俗名箭头砂，以砂作不规则片形，有锋锐之棱角，如箭头，如攒塔，故名。此砂在石英之中，作颗粒状，而不与石英黏附，采者取石英破之，砂即片片剥落，色带紫黑，不甚透明，愈研愈红，砂面起水银光。至普通之砂多与石英混合，故取砂细检，每多石英颗粒，或半石英半朱砂之混合颗粒。次谓之肺砂，今俗名劈砂，砂片如斧劈状而无锋锐之棱角，色红紫，透明。次谓之豆砂，俗称和尚头砂，亦称平口砂，做颗粒状，不甚红，陶宏景所谓如大小豆，及大块圆滑者是也。最下者为豆瓣砂，乃豆砂筛余之细屑，做小豆瓣或小颗粒状。大抵砂色宜略带紫，钤于纸上，初似不甚鲜明，历时愈久，转而愈红，方为上选。

近时佳砂至不易得，即偶有一二，价亦奇昂，故不如就大药材行购药用砂选用为得。药行市面上砂，佳者以封计，大抵半斤左右砂纳于一盒，谓之一封。盒中砂，用纸分格十层。中间较纯，上下较杂，取其纯者，选明净无杂质映日视之鲜红透明而略带紫色者用之，上下诸层之砂虽杂，亦可选用，以制较次之泥，不必尽弃也。

市间亦有漂净朱砂出售，然乳既不细，漂亦未净，即砂质本身亦多为杂而不纯之下品，劣者更有掺以银朱，或以劣质西洋红，或为机械防锈用之红丹粉混充者，不可不察。苏州姜思叙之漂净朱砂，较一般市售者为佳，分为三品，最佳者上字，次为天字，下者不列字号，然亦色淡质薄，不紫不鲜，终不如自行选乳者为佳。朱砂而外，银朱亦可制泥。最佳者为三兴入漆银朱，制成后与朱砂印泥无异。不过色较淡，质较薄耳。

西洋红只德制油红——入漆用者——可用，以独立之雄鸡商标者为最，质细色鲜，沉着而不浮泛，较之朱砂，可无多让。然自欧战起，德厂停制工业用品，此物已不易觅致矣。

### 乳　砂

先取选好之朱砂，用火酒洗净，晒干，入药碾碾过，用细筛筛之，粗者再碾，至极细为度然后入乳钵加火油细研，研至无声，似欲栩栩然飞去，乃加入广胶水（即黄明胶）少许，再研，至砂着胶澄而不沉为度；乃将澄者易注别器，其沉者再入火酒加胶乳之，仍将澄者并注前器，如是者约可取三数次。其最后之沉淀为砂脚，色带黑，不可用。先后取下之澄者，俟澄定，去其浮者，注他器，色黄是为朱膘。

然后各加沸水悬汤煮之，则向之浮者尽沉，而此时上浮者皆黄腻之胶水，倾而去，加水再煮，俟胶去尽所得者即净砂净膘矣。

## 配 合

先取晒成之油，仍置烈日中晒之，同时入砂乳钵，研数千转，俟有浓烈之硫黄味扑鼻，知砂已发热，乃将晒热之油加入少许——有同时再加少许纯净之熬熟猪油者，取其软滑，易于落印，惟不宜多——至砂湿为度，再乳数千转，如嫌太干，可徐徐加油，乳至油不浮，砂不沉，结而复散，散而复结，至油与砂融合为一，然后以少量之艾，递次加入。递次研磨，及秣艾既和，再用大力捣之、擂之、推之、曳之，至泥能随杵起落，以印箸挑之，能缠绕箸间而不断落，至是印泥乃成。取置印池内，每日用印箸翻搅一次，至一星期后即可应用。惟配合之量，最须适当，大约每砂一两配油二钱五分至三钱，而艾则仅半分之至一分足矣。

旧传配合诸法，有谓新合者，朱油不相混，须俟三二月后方可用者；有谓合成后，挂檐下三十日取下，三日一晒，一日一搅，至明年再加朱，次年亦如之，然后即无模糊不清之病者；有谓日乳砂数万转，数日后再加艾，递加递研，至一月而印泥始成者。凡此皆以未明所以使油朱融合之理，故迹。近谰言。案：砂质细而坚，不易吸入油质，故必乳砂使热，再和热油同乳，借热力之吸引，使之互相融合。彼谓日研万转者，亦犹此意，第不如热油同乳之为事半功倍耳。泥成后之必须捣、擂、推、曳，亦所以使之发热，俾油、朱、艾三物混成一体也。印泥用久砂减色退，可仍如前法，以热油热朱乳透，即以印泥代艾，入钵乳擂，惟油宜酌减，不宜过多。

用旧败泥结成硬块者，可向点心店或麦食摊乞取煎麦物之熟油，俗称栅油，"栅"者，"馓"之俗字，馓子即今油炸脍。煎馓子之油终年不换，仅每日加以等量之新油，故为千熬百炼之老油——入黄豆数粒同煮，俟沸去豆，将败泥入油煮之，久则硬块渐融，附着之朱渐次浮出油面，俟殊艾完全分解，乃取出挤干，入洁净碱水，煮三数次，去其油质，再晒干，即以此艾如前法研制之，即成完好之新泥。旧艾改制之泥，钤印纸上，瞬息即干，虽用力磨拭，而磢不外走，印不模糊，转较新泥为胜。

## 收 藏

印池只宜用磁器，若金银铜锡之类，贮泥其内，不数日即坏。有以青田石为印池者，病在损油，宜先以白蜡蜡其内方可用，然终不如磁器为佳。池又以旧磁为佳，然旧池之开片者亦易透油，仍不可用，市购新磁，性多燥烈，宜先入沸水中滚数透，去其火气，拭干冷却，然后可用。

砂重而沉，油轻而浮，此其本质如此，故印泥须间日用印箸（印箸以牛筋者为佳，取其不易折断）翻搅一遍，盖否则砂质下沉，久而凝为硬块；油质上浮，久而朱色减退矣。

油屡晒而成，逮制成印泥便忌日光，即隔印池曝日，亦易胶腻。冬日不可近火，火气熏灼亦易败坏。故旧传配合法"三日一晒"之说，断不可信。

印泥遇金属，久必变黑，故钤金属印须别制较次之泥用之。如患其色不鲜，则可先就次泥微微抑之，使次泥偏覆印面，然后再抑佳泥钤用，如是则金属已为泥所隔离，可不致妨及佳泥矣。

# 三、拓　款

治印完成，其印文固不难借印泥显于纸上，若同时欲将印侧所刻款识亦显而出之，则拓款之法尚矣。拓款之工具，仅拓包与棕帚二物而已。拓包制法，取新棉絮少许，搓成樟脑丸大小，外包软细哔叽一层，再裹以帛，最好用软缎，如无软缎，则取极光滑之其他缎料裹之亦可，最后用线紧扎即成。

拓包宜小不宜大，大抵圆周对径约半英寸至一英寸弱已足。又拓包用过后，墨干即坚硬不能再用，故每次用毕，须微湿以清水，就废纸上反复重拓，俟拓之无色，则墨已去尽矣。至如拓包并不常用，则用毕宜将外裹之缎取下洗净晒干，下次用时，另易新絮哔叽，重行扎制为佳。

棕帚俗名棕老虎，棕绳店有出售。市售棕帚，其所用之棕，未经剔选，粗细不一，用时极易损纸，不如自制为佳。可向市肆购棕丝，细加选择，取其圆劲匀适者，排齐徐徐卷拢，外用铅丝扎紧。扎成后，用快刀切齐其两头。新制之帚，如嫌过硬过糙，可用铁板置炉火上煨热，将帚就热铁板上反复磨擦，不一小时许，即柔润如熟帚矣。如不作热铁板，则就砂石或水泥地上磨擦亦可，惟费时费力较多耳。棕帚亦不宜过大，大抵圆周对径约一英寸、高约三英寸弱足矣。

拓包

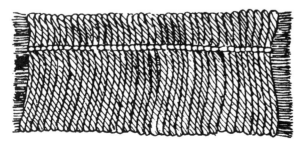

棕帚

拓款之法，先将印面及其四周洗净，于署款之一面用新毛笔蘸白芨水遍涂其上，白芨药肆有售，取十许片置小碗中，入沸水，用手指频频调捺，俟水着指黏腻即可，乃覆以拓款之纸，宜用最好之连史，以薄而洁白者为佳另以新毛笔微蘸清水，轻拭纸面，复次覆以拷贝纸，洋纸店有售用手掌按实，使平直熨贴，此时纸已微干，乃易干拷贝纸覆其上，以棕帚力拭之，使其字迹完全显露，迨纸已大燥，即去覆纸，径以棕帚直擦纸面，使之光滑，至此方可上墨。印面不涂白芨水，仅用清水亦可，然清水无黏性，故手法须极度敏捷，此则全仗经验，非一蹴可几矣。

上墨之法，先将砚洗至极净，磨墨至极浓，蘸取少许涂于小碗盖或磁碟上，以拓包速揉令匀，不可以拓包入墨聚处揉蘸，否则纸上必多墨点乃以拓包在纸上四周无字处徐徐拓之，渐次拓至有字处，一再回环，使纸上墨色停匀，毫无轻重偏枯，字迹亦已朗然明晰，乃揭纸离印，而拓款之事于以毕。揭纸时，如病纸黏附不易揭开，可呵以口气，使略潮润，即易脱离。

拓款之墨，以重胶为佳，如普通所用之五百斤油即可。以胶重则易使拓面光亮，如用佳墨或松烟为之，反晦滞无光矣。别有上蜡之法：取白蜡一块，就棕帚之另一端擦之，俟纸面拓竟，墨已干透，即以此擦蜡之一端磨擦拓面，亦可使之发亮。然苟拓时燥湿得中，落墨停匀，及用次墨为之，正亦不必再上蜡也。

拓款之优劣，视拓者之手法与经验而异。必须字口清晰，墨色停匀，而印纸背面不透丝毫墨点，方为上选。拓款与气候亦大有关系，以阴天为最佳，取其干而不燥，阴而不湿。若三伏烈日之下拓印，则纸面润水转瞬即干，甫经按擦，纸已与印脱离；而淫雨之际，则纸面又不易就燥，又往往事倍而功半。此其宜忌，不可不知。

# 四、剩 言

## （一）印 文

昔人论印，谓须考订一体，不可秦篆杂汉；各朝之印，当宗各朝之体，不可溷杂其文，更改其篆。持论固正，然失之拘，且于文字源流亦未加剖析，吾侪正不必泥而不化也。案：小篆中多古文，近世学者均已公认。《说文解字》一书所列篆文，多大小篆相同者，如"臣"字，小篆作"臣"，大篆作"𦥑"，作"𦥑"；"门"字，小篆作"門"、"門"，大篆作"𨳇"，作"𨳇"，结体全同，不过少变其字形而已。至如摹古玺印，假定其用古文，其中倘有一二字为古文所无者，则可以小篆迁就古文笔法以代之，不得谓之杂也。秦篆不多，摹印篆虽有其名，与汉之缪篆对勘，亦无大差异，今以汉篆杂之秦篆，只需少变其笔法，即无破绽，惟汉印中多俗字，不合六书义理者，则不宜盲从耳。

## （二）上 石

昔人篆印，多将印文反书石上，而正之以镜。亦有先篆印文纸上，覆其纸，临其反文于印面者。此法初习者每感困难。益以手腕空悬，即能成文，亦不易平正如意。如有笔意未协，更复难于修改，终不如篆印纸上，反摹上石为便。纸宜薄，最好用竹廉纸。次之，则为毛边纸或白关纸。用极浓之墨篆印文纸上，俟干，覆于印面，用水渗湿，以宣纸或其他较厚而能吸水之国产纸折叠数层覆于纸背，用拇指指甲轻轻摩之，然后去纸，则印文已显于石面，与纸上印文不差毫厘。至印面如光滑不易受墨，则可先就细铁砂皮或砥石上磨之。

## （三）钤 印

印之平正者，钤时垫纸不宜过厚，大寸许者十数层，次之五六层，最小者一二层足矣。如代以吸水纸，则一二层已足。或有用市售承茶杯之软木片代垫纸者亦佳。大抵印大则钤时用力宜重，印小用力宜轻；白文宜轻，朱文宜重。然白文之极粗及朱文之极细者，则又反是。每见有钤时用力压抑，四边摇荡，以为不如是则印泥不能匀到者，不知印纸柔软，钤时一经压抑，便多凹凸，于是印面空处之泥沾着纸上，白文之粗者转细，朱文之细者转粗，两失其真矣。至古印之剜缺残损者，钤时尤须细审其缺损程度，量其重轻，又不可一概而论矣。古印有中间坟起者，钤时垫纸宜稍多，俟中间坟起处抑定，将印之四面稍为摇荡；亦有中间凹进四面坟起者，则抑泥之后，再用印箸挑泥少许，涂入凹处令匀，覆纸印面，取新棉絮轻扑之即得；其印文之浅而细者亦用此法。印钤毕，当以新絮拭之，他物不能去印文中之垢腻，或至磨损，惟新絮能去，而又不损印面，故以此为佳。

## （四）磨 刀

刻印之刀，必须时时保持锋利，方能刻画如意。至如丁敬身之用铁钉剜刻，此或客游异地，未携工具，为人所戁，乃以铁钉代刃，所谓偶然高兴，未可垂为常法也。又如吴昌硕之圜干钝刃，则不过自

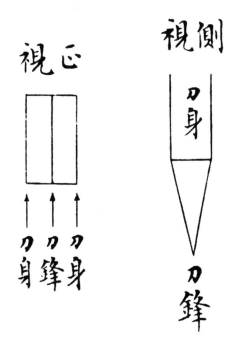

矜腕力，别立蹊径，究非正常，不足为训。

磨刀之法，用力宜均，刀口宜方，刀锋宜正，须将刀就明处正视，其刀锋一线，介于刀身中间，毫无欹铡侧视之，刀口两面平直，无偏颇不平或坟起处方可。

磨时，横置其刀，使刀锋与砥石成并行线，以右手握定刀干之上半部，伸左手食、中二指，压定刀干之下半部，往返推曳，右手随左手为进退，左手则尽量保持其压力之平均。推曳时，进须至砥石之彼端，退须至砥石之此端，必须大开大合，不宜局促方寸。推曳次数，亦须两边相等，辟如刀之甲面推曳十次，则乙面亦如之，盖否则刀锋即易欹侧也。又刀不宜直磨，直磨则刀锋之两角必圆，失其锋锐矣。

砥石，人多以羊肝石为之，然羊肝石质松软，磨时往往石屑随刀而下，不如油石之坚致耐久，永用不勚。油石宜备粗细两种，粗者有美国制之INDIA OIL STONE；细者为德国制，专用于机器者，石面平滑如镜，磨时均须以火油代水，先就粗石磨平，再就细石光之，惟价颇昂，且不易得，可向大五金店及百货公司访购之。

## （五）平 印

平印仅须备粗细砂皮数种。印面刻过者，先就最粗之木砂皮上磨去字迹，再就较细之木砂，去其磨痕，末就细铁砂皮磨之即可。如印面无文字者，则仅就细木砂或铁砂上磨之可矣。

金属印之已有文字者，则先用铁锉锉去文字，然后就铁砂皮上磨光之。

磨下之石粉，宜积贮一器，遇刻刀伤指时，取粉一撮置于创口，用布条紧缚，浸假即止血止痛，且可不致溃烂，亦废物利用之一法也。

玉印及水晶、翡翠等印，旧有金刚砂和水磨治之，然太烦重，其实仅需就砂石或水泥地上水磨之，惟以其质甚坚，故磨时较为费力费时耳。

## （六）石 屑

刻石印时石屑随刀而起，纷杂印面，须频频拭去，方不碍印文，不知者多用口吹去之，此法极不可效，久之必伤肺部，且一呼一吸间，口腔更易吸入石粉，以致渐渐酿成肺病。法宜以无名指随刻随拭，使石屑填入刻去之处，则印文转显矣。

## （七）饰 印

市售印石之较次者，制工大都十分粗劣，外敷以蜡，助其悦泽，刮去其蜡则磨痕毕露，于是饰印之法尚矣。饰印之法有二：一为蜡饰，一为砑饰。然其大要，厥在先平磨痕。首向药肆购木贼草，浸水擦石面，迨粗痕尽去，拭干，再以最细铁砂皮（最细者纸背记号为000，次之为00，又次之为02或04等）擦之，俟完全光滑无疵，然后再施蜡饰或砑饰。

蜡饰，先备白蜡一块，细绸或软缎一方，将印石就火熏至微热，以白蜡匀擦石面，然后将石按绸或缎上用力磨擦，至光泽匀净为度。如不用白蜡，则用汽车蜡或无色皮鞋油亦可。

砑饰仅用最细铁砂皮继续擦石面，大约继续至五六小时，石面即渐起光泽，然后将棕帚力擦之即可。此法费时较多，似不及蜡饰为便捷。然蜡饰日久蜡退，光泽亦去；砑饰则永久不退，则此固优于彼也。

「 作品欣赏 」

福祿未渠央松菊闲情元乞本

同天地壽

頌子孫榮

精神渾似舊芝蘭事秀迷今更

肇慶宋人詞

集宋词十六言联　隶书

蘭風桂露洒幽翠

江亭晚色静丰芳

赤橙黄绿青蓝紫
谁持彩练当空舞
雨后复斜阳
关山阵阵苍
当年鏖战急
弹洞前村壁
装点此关山
今朝更好看

毛主席在大柏地所作菩萨蛮词 登丙申春仲一之书

毛泽东词《菩萨蛮》轴　隶书

草书轴

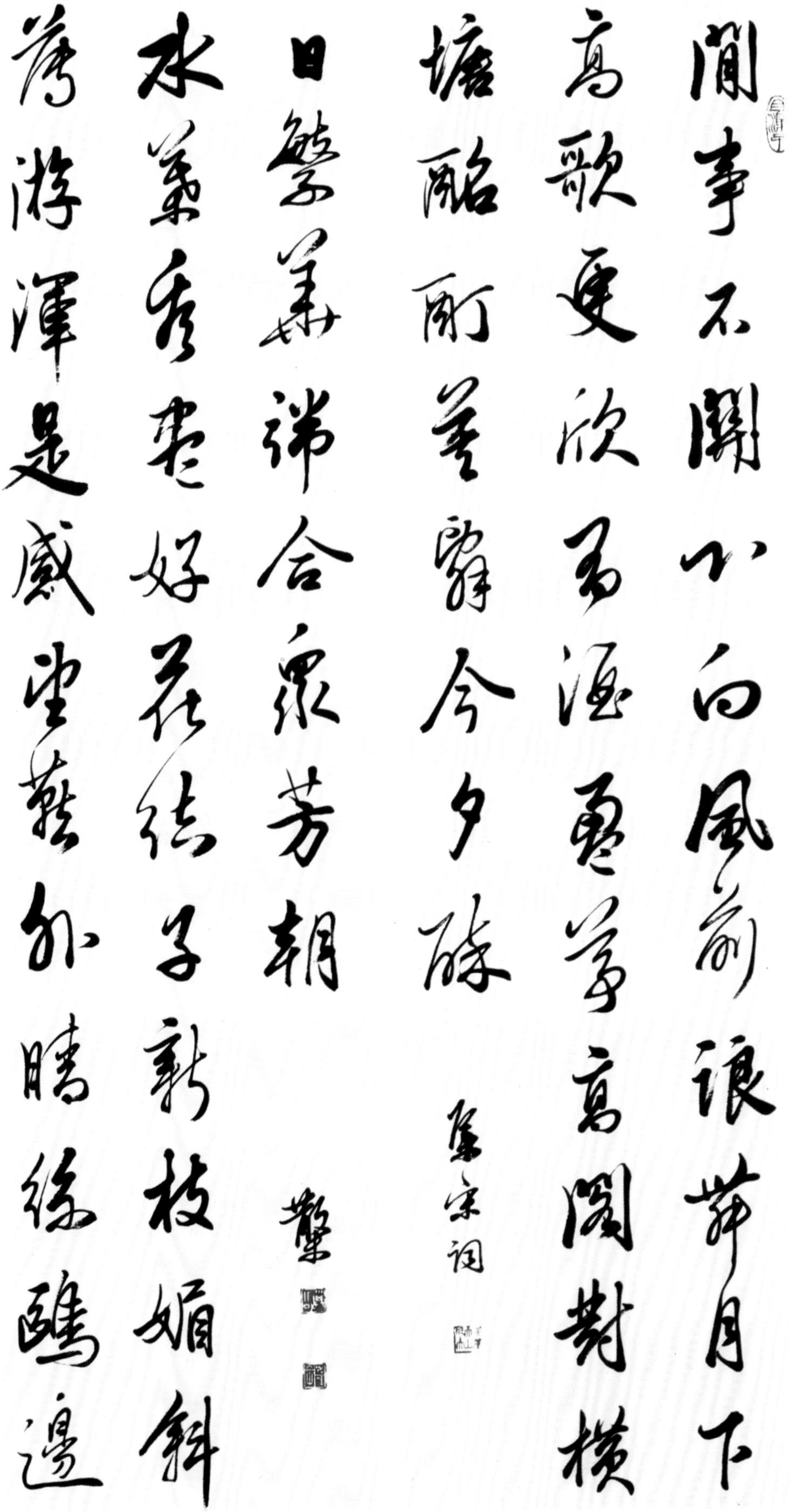

閒事不關心向風前浪萼月下
高歌更欣高源惠等高閣斜横
塘酩酊苗鬖今夕除 录宋詞
日警羣端合衆芳期 蘩
水筆秀老好花結子新枝媚斜
為游渾是感坐鸚如晴絲鴟邊

竹屿暝烟浮翠黛

桂枝秋露洗银蟾

药荪句

七言联　行书

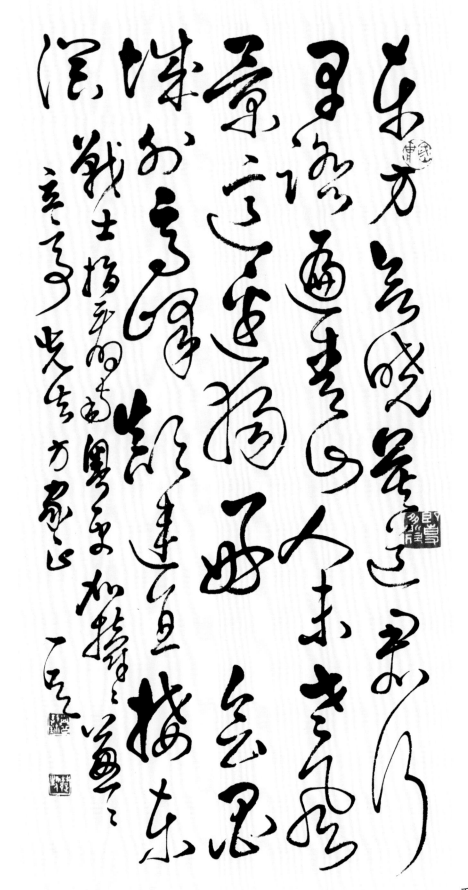

毛泽东词轴　草书

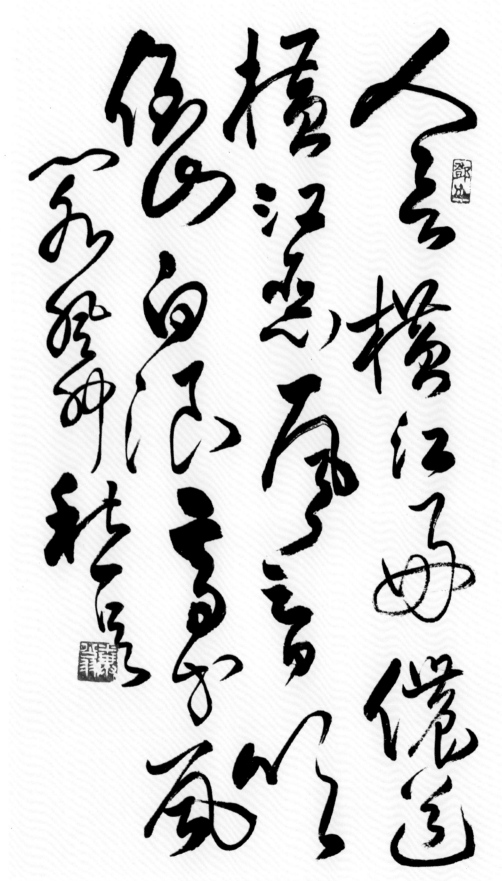

李白诗轴　草书

荷叶藏渔艇

菡萏泛金樽

小窗多明俯拾即是
众山倒景乘空欲飞

集史隶书联

萬里山河拱尊羽林鐵騎若

寰宇毛羣先正不復作故國雖世

車个尚存河可令故社甚

蓋何自達侑門洛王師終日臨榣

寰小醜黄頭登足尚商一日臨榆

放翁诗

隶书轴

收瘟何必廣

濁酒且自陶

樂遊尋野景

高詠出烟宵

集句五言联　楷书

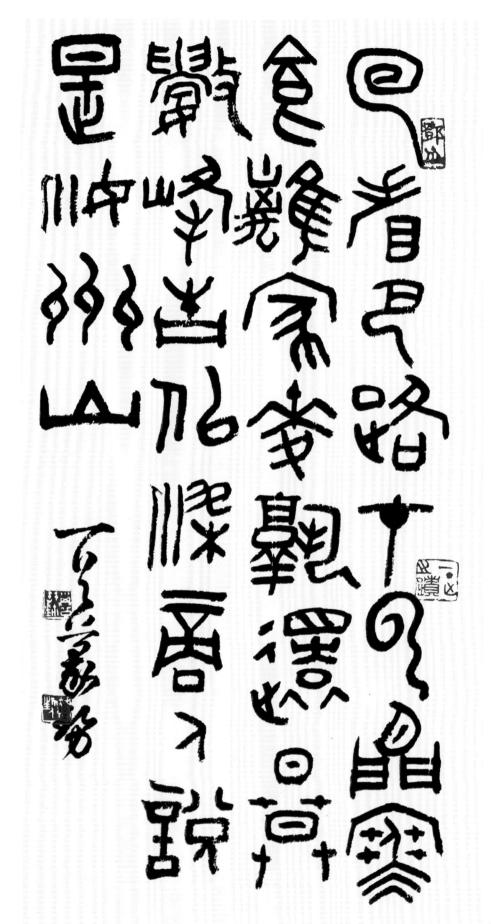

唐诗轴　篆书

冷冷七絃上 靜聽松風寒 古調雖自愛 今人多不彈

劉文房诗 壬申六月 摄之记时

唐诗轴　隶书

峥嵘岁月稠，恰同学少年，风华正茂；书生意气，挥斥方遒。指点江山，激扬文字，粪土当年万户侯。曾记否，到中流击水，浪遏飞舟？

沁园春　长沙

毛泽东诗词长卷·沁园春　隶书

独立寒秋，湘江北去，橘子洲头。看万山红遍，层林尽染；漫江碧透，百舸争流。鹰击长空，鱼翔浅底，万类霜天竞自由。怅寥廓，问苍茫大地，谁主沉浮？

自力更生

邓

文物共威蕤

无外引书

老残

邓粪信玺

六曲春星二分明月

跃进书生

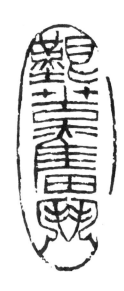

艰苦奋斗

"毛主席念奴娇词昆仑一阕"印

恰同学少年

忆往昔峥嵘岁月稠

到中流击水
散木

曾记否

浪遏飞舟

曾记否
一九五三年立冬后三日　散木

浪遏飞舟
癸巳散

到中流击水

大梵天坠落凡夫

伏蘄自今以后吾所思念爱慕一切
如愿吾所厌恶心憎疾一切远离

中华民国二十有七年龙集戊寅元旦
厕简子敬造大梵天王坐像一区

# 邓散木生平及艺术活动年表

1898　戊戌　1岁
10月16日生于上海，初名士杰，后名铁，字纯铁。

1908　戊申　11岁
入原英国人所设华童公学。

1913　癸丑　16岁
因不愿接受洋奴教育，愤然离校，自习国文和书法。

1916　丙辰　19岁
入会审公廨，任文书。

1922　壬戌　25岁
创《市场公报》，自任总编辑（注：据查核，《市场公报》创刊于1921年）。

1924　甲子　27岁
创办南离公学，任校长。并在华安人寿保险公司兼职。

1926　丙寅　29岁
与建权结婚，迁住派克路。

1927　丁卯　30岁
易名粪翁，名居室为厕简楼，自号厕简子。

1928　戊辰　31岁
从虞山赵古泥先生学习篆刻，从虞山萧蜕庵先生学习书法，自称"虞山弟子"。

1931　辛未　34岁
1月19日家齐生，在上海觉林首次举办金石书法个展，游普陀。

1932　壬申　35岁
11月20日迁住丽云坊60号。结识施叔范，并为诗友。同年篆刻《粪翁治印》成书三集，计九册。

1933　癸酉　36岁
次女生，12月24日迁懋益里，游杭州、浙东。与沈轶刘、施叔范、沈禹钟等诗友结"哭社"诗社。5月8日泥师故。

1934　申戌　37岁
游浙东、南京，在上海湖社举行书刻个展，结识章士钊先生。

1935　乙亥　38岁
游杭州、嘉兴、苏州、庐山等地。在南京环球旅馆开个展，结识徐悲鸿、刘三、梁寒操（梁为沈公璞介绍）。

1936　丙子　39岁
以梁寒操介绍书《三民主义》中《民生主义》一讲刻于中山陵。4月29日去沪江大学演讲书法。11月22日，在杭州为净慈寺书写巨型匾额"佛殿"两大字，字大盈丈。

1937　丁丑　40岁
集印谱《三长两短斋印存》五卷，集《三长两短斋印存二集》四卷成册。

1938　戊寅　41岁
5月8日，三女殇。8月18日，在上海大新公司举办"杯水展"，将作品义卖，以所得支援抗战。

1939　己卯　42岁
在上海大新公司举办书刻个展，办厕简楼金石书法讲座，《粪翁印稿》甲、乙集计八册完成，《说文解字部首校释叙》书就。

1940　庚辰　43岁
在上海大新公司举办书刻师生展。

1941　辛巳　44岁
在上海大新公司举办书刻个展。

1943　癸未　46岁
拒绝参加日伪组织的"中日文化协会"，撕毁
请帖。

1944　甲申　47岁
足病，12月5日师诚故。在上海宁波同乡会举办
书刻个展。

1945　乙酉　48岁
抗战胜利易名散木。9月29日，四女国治生，游
杭、苏、周浦。《篆文尚书》书就，计三万余字。

1946　丙戌　49岁
游杭、绍（兴），在上海、南京等地举办书画篆
刻展。《说文韵谱篆书》完成。

1947　丁亥　50岁
偕施叔范游台湾、奉化、无锡、嘉兴，成诗21
首。手写全部《篆韵谱》和《说文解字》，《许氏
说文篆书》完成。

1948　戊子　51岁
游无锡、杭州、青浦，在上海、无锡与白蕉举
办书画篆刻合展。手写《说文声谐孳生述》八册。

1949　己丑　52岁
5月27日上海解放，游青浦、苏州。与白蕉合著
《钢笔字范》完成。高士传印完成，钤拓《高士传
印谱》百部，部一函四卷。

1950　庚寅　53岁
6月组懋益里住户福利会，10月加入民盟。

1952　壬辰　55岁
4月参加五反检查队四中队五分队工作，6月参
加文艺整风运动。

1953　癸巳　56岁
完成篆刻《毛主席沁园春词》组印26枚。

1955　乙未　58岁
9月16日应北京人民教育出版社邀请入京，住邱
祖胡同，用简化字书写小学语文课本及学生字帖，
对我国文字改革起到了积极的作用。

1956　丙申　59岁
迁居真武庙，自号"真武庙祝"。定居北京两年
完成《京华新咏》86首诗，书就《说文衍声谱》。
参加组织中国书法研究社，主持书法讲座，筹办建
国以来第一届时人书法展。

1957　丁酉　60岁
3月展开整风运动，被错划右派。撰《六十自
讼》诗八首，完成《京华续咏》108首，书《厕简楼
临汉碑》45通。

1958　戊戌　61岁
书就《分书急就》，填词《多丽一咏首都绿化运
动》，《书法学习必读·读书谱图解》出版。

1960　庚子　63岁
左腿患败疽入北医二院锯腿，2月至10月15日出
院。故号"一足"，"夔"，"六六残人"等。

1961　辛丑　64岁
右手受伤，以后或以左手作书。刻印有时以锤子
凿成。刻印"谁云病未能"。

1962　壬寅　65岁
9月22日，入北医一院割治胃溃疡，至10月26日出
院。刻朱文印"白头唯有赤心存"。以章草书就《急就
篇》。

1963　癸卯　66岁
5月1日，和平画店开个展8天。《一足印稿》完
成，《欧阳结体三十六法诠释》、《草书写法》出
版。10月8日下午5时，因肝癌病逝于北大医院。

# 后　记

　　当代著名书法篆刻家邓散木先生留给我们可作通识教育的著作《怎样临帖》、《书法百问》和《篆刻学》。当我们读着他的这些文字的时候，你是否想过他曾经为之付出的辛劳和经历的艰辛。任何一部作品的诞生，都是作者汗水和天才的结晶。邓散木也不例外。

　　他一生勤于艺事，从1940年6月1日起，将时钟拨快一小时，还订了"自课"，上午六时临池，七时作书，九时治印，十一时读书；下午一时治印，三时著述，七时进酒，九时读书。周六下午闲散会客，工作时间恕不见客。他曾手临一部万字的《说文》十遍，《兰亭》更是临了数以百计。

　　他书法问业虞山萧蜕盦先生，行草出入二王，婉畅洒逸；楷书（精小楷）植骨于欧阳，而得益于北魏；隶则初宗汀州（伊秉绶）其后博综汉刻。篆书深得师法，后又取经吴缶翁，晚年融合大小篆及甲骨，简帛文字，结体恣肆，气韵生动，布局随心，自成一体。

　　散木先生治印师承虞山赵古泥，他自己曾经说过："我的刻印受教于古泥先生者最多。"　邓散木在20世纪30年代即被誉为"江南四铁"之一，与吴苦铁（昌硕）、王冰铁（大炘）、钱瘦铁（崖）齐名，又有"南邓北齐"之誉，声名响彻神州大地。他的老友已故诗人沈禹钟有诗赞曰："三长两短语由衷，自许生平印最工。巨刀摩天空一世，开疆拓宇独称雄。"他生前不仅创作了大量精美绝伦的印章，其倾毕生之精力写就了《篆刻学》这一书稿，此书是其篆刻论印的经验所得，为后人称道，流传最广。曾于1979年5月由人民美术出版社出版，而我是事隔六年后重版时买到的，距今已29年了，当年我初涉印事，浅尝辄止，如今重读，别有一番感悟。

　　"篆刻学"也称印学，系专门研究篆刻艺术之技法、发展历史及各流派理论的学科，其发展有着一个漫长的过程。

　　中国篆刻历史上有着一个非常奇特的现象，即篆刻的艺术未能像绘画、书法等其他艺术门类那样，实践与理论基本得到同步的发展，迟至距秦汉篆刻艺术巅峰期一千

万水千山只等闲

乐正之居

妙契同生

余年后的元代，一部吾丘衍的《学古编》才姗姗而来。吾丘衍的《学古编》，其中主要部分《三十五举》是最早出世的一部研究印学的理论指导书，它对篆刻学的兴起与发展起到划时代的作用。邓散木的《篆刻学》是在总结前人印学的基础上，积几十年之心得和经验，为学生编写的授课讲义，其中对篆书的演变、印章的源流、各家篆刻的流派章法、刀法作了翔实扼要的论述和介绍，特别是章法的剖析，具有独到的见解，而且图例丰富，既是有关篆刻理论的技法的专门论著，又可作为刻印和书法的临摹范本。对研究者而言可作为深入研究印学的阶梯，对初涉者来说可作为一本入门书。可以这么说吧，《篆刻学》的重要部分是在下篇的章法，邓散木在治印中极其注重章法，因为章法是篆刻艺术的核心问题，不懂章法，就无法谈篆刻艺术。他极其推崇前人徐坚的有关章法的一段论述："章法如名将布陈，首尾相应，奇正相生，起伏相背，各随字势，错综离合，迴应偃仰，不假造作，天然成妙。若必删繁就简，取巧逞妍，则必有臃肿涣散，拘牵局促之病矣。"他在深刻研究古人的基础上，经过自己实践，对章法也确立了一个小结："一字有一字的章法，全印有全印的章法，约而言之，不外虚实轻重而已。"他在《篆刻学》中，把章法归纳为十四个方面：1.临古，2.疏密，3.轻重，4.增损，5.屈伸，6.挪让，7.承应，8.巧拙，9.宜忌，10.变化，11.盘错，12.离合，13.界面，14.边缘。他把"临古"、"疏密"、"轻重"放在首位。他认为"古印不尽可学，要当择善而从。其平正者，质朴者，有巧思者可学；板滞者，乖谬者，过纤巧者不可学。他还指出"要奴役古人，不要当古人的奴隶"。师法古人不过是一种手段，并不是最终目的，我们要"始于摹拟，终于变化"。邓散木把"疏密"紧接在"临古"之后，可见其在治印创作中的重要性。他创作的"万水千山只等闲"一印是疏密得当、计白当朱、匠心独运的成功范例。他还有一方印"妙契同尘"，朱白分明，很夺人眼球，妙在离得极疏，合得极密，点画狼藉，散而不乱；疏处可走马，密处不能容针。计朱当白，妙趣横生，是他晚期的代表作。

至于他把"轻重"放在章法中的第三位，说明它在篆刻艺术的表现形式中也是比较重要的一个方面。轻重其实就是虚实的再现，从他的印例来看一般有两种表现：边框的轻重与笔画的轻重，印面轻虚的一例配以粗重的边框，以加强全印的稳定性。如"乐正之居"、"有所感"。笔画少的要粗而重，笔画多的要细而轻，如"九州生气恃风雷"中的"生"加粗重，"十年一觉"中的"觉"细轻。

另外《篆刻学》中的章法里的第9节"宜忌"的14条是他几十年治印的重要心得，可以看作是他治印的要诀，读懂了，就可以提高印面的艺术效果和避免治印中可能出现的不少毛病。限于篇幅，这里不作赘述。

总之综观他的一生，"无论在接受师训，继承传统等方面。他始终坚持择善而从，吸取精华，经过消化，开出自己的花朵，结出自己的果实"。

现在我和浙江书法家彭福云先生一起将邓散本的《书法百问》、《怎样临帖》与《篆刻学》这3本书集中汇编，意在便于书法篆刻学习者方便使用，更好地继承邓散木先生遗留下来的宝贵的文化遗产。在选编过程中，得到了本书策划编辑潘志明先生、书法家朱梁桑的大力支持，在此一并表示谢忱。由于是初次编书，缺点与错误在所难免，望读者和行家不吝指教。

有所感

九州生气恃风雷

十年一觉

徐才友

2014年9月16日